Syr

Y bobl, y busnes – a byw breuddwyd

CRYFDER AR Y CYD

Mentrau Cydweithredol Pentrefi'r Eifl

Argraffiad cyntaf: 2012

Rhif rhyngwladol: 978-1-84527-381-1

Mae'r cyhoeddwr yn cydnabod cefnogaeth ariannol
Cyngor Llyfrau Cymru

Cynllun clawr: Sion Ilar

Cyhoeddwyd gan Wasg Carreg Gwalch,
12 Iard yr Orsaf, Llanrwst, Conwy, LL26 0EH.
Ffôn: 01492 642031 Ffacs: 01492 641502
e-bost: llyfrau@carreg-gwalch.com
lle ar y we: www.carreg-gwalch.com

CRYFDER AR Y CYD

Mentrau Cydweithredol Pentrefi'r Eifl

ANTUR AELHAEARN
CANOLFAN IAITH NANT GWRTHEYRN
TAFARN Y FIC, LLITHFAEN
SIOP-Y-GROES, LLITHFAEN
GAREJ CLYNNOG FAWR

Cyflwyniad gan
Carl Clowes

Cynnwys

Senedd cynnar Antur Aelhaearn:
(cefn) Carl Clowes, William A. Evans, Emrys Williams, (blaen) Gwenno Mai Jones, Joan Jones, Nyrs Toffarides a'r Parch. Goronwy Prys Owen

Gair i gyflwyno

'Lle na bo gweledigaeth, methu a wna'r bobl'.

Mae'r gyfrol hon yn deillio o brofiad adnabod ardal yr Eifl ers 40 mlynedd a mwy. Yn ystod y blynyddoedd hyn, dechreuais werthfawrogi yn fwyfwy y gwaith da oedd yn digwydd yn y fro, gan weld y cyfan yn ei gyd-destun, a dechrau codi cwestiynau â mi fy hun. Oedd 'na wersi yma fyddai o gymorth i eraill? Oedd angen gwyntyllu'r profiadau i gynulleidfa ehangach? Oedd 'na fodd i symud ymlaen i lefel ehangach o weithredu? Ffrwyth yr hel meddyliau felly yw'r gyfrol hon sy'n dod â phump o fentrau cydweithredol eu naws at ei gilydd, nid i'w barnu na hyd yn oed i'w gwerthuso, ond i groniclo cyfnod difyr yn hanes Bro'r Eifl o'r '70au ymlaen. Mewn oes lle mae 'na gymaint o sôn am ddirywiad cefn gwlad, braf yw cael adrodd hanes cadarnhaol a gobeithio y bydd eraill yn cael eu calonogi wrth ddarllen yr hanes.

Wedi byw a gweithio am 10 mlynedd yn Llanaelhaearn yn y '70au, mi wnes i ddeall yn fuan iawn fod 'na rinweddau arbennig yn perthyn i bobl yr ardal. Mi wnes i sylweddoli ar yr un pryd fod 'na broblemau gwirioneddol yn wynebu'r fro. Yn ardal wledig bellach, ganrif yn ôl roedd y fro yn gartref i tua dwy fil o ddynion yn gweithio mewn diwydiant trwm iawn, sef diwydiant y chwareli ithfaen yn ymestyn o Dyddyn Hywel ar y ffordd i Glynnog draw i'r Gwylwyr, ger Nefyn. Tyfodd y pentrefi o gwmpas yr Eifl fel ymateb i'r twf yn y diwydiant ac, i'r rhai hynny nad oedd yn gweithio yn y chwareli, roedd y trwch yn gweithio ar y tir mewn amgylchiadau digon anodd.

Sail y chwareli oedd cyflenwi'r angen am gerrig ar strydoedd dinasoedd Lloegr ac Iwerddon; roedd natur y garreg a'i gwydnwch yn cynnig wyneb arbennig ar gyfer oes y ceffyl a throl ond, gyda dyfodiad y car a tharmac, yn fuan iawn lleihaodd y galw am y garreg ac edwinodd y diwydiant.

Yn yr un modd ag y ffynnodd ardal yr Eifl ar gefn y diwydiant, felly hefyd y daeth y dirywiad yn weddol sydyn o'r 1930au ymlaen. Tua'r un cyfnod, gwelwyd mecaneiddio'r diwydiant amaethyddol a llai o alw am weithwyr neu weision ar y ffermydd. Aeth y boblogaeth ar i lawr, roedd siopau'r ardal yn cau ac, fel y gwelwn yn y gyfrol, cafodd cyfleusterau'r fro eu tanseilio gan nad oeddan nhw'n hyfyw mwyach.

Wedi inni gyrraedd Llanaelhaearn fel teulu yn 1970, dysgais o fewn y pythefnos cyntaf fod 'na fygythiad i gau ysgol y pentref a hynny, yn bennaf, gan fod y plwyf wedi colli traean o'i boblogaeth yn y cyfnod ar ôl yr Ail Ryfel Byd. Yr un oedd y patrwm yng Nghlynnog ac ym mhlwyf Pistyll lle roedd yr ysgolion wedi cau eisoes yn y 1960au. Pegwn eithafol dirywiad yr ardal oedd Nant Gwrtheyrn neu Borth y

Nant, pentref a adeiladwyd yn yr 1860au, yn arbennig ar gyfer gweithwyr y chwareli gerllaw. Gadawodd y trigolion olaf yn 1959 gan adael y cyfan i ddirywio i'r fath raddau fel mai holi am y '*ghost village*' oedd cais sawl dieithryn i'r ardal ar ddechrau'r '70au.

I feddyg ifanc, yn ymarfer ei grefft mewn practis am y tro cyntaf, gwelwyd canlyniadau'r diwydiant trwm yn cael effaith ar iechyd corfforol y bobl ond, hefyd, roedd canlyniadau'r diboblogi a diffyg morâl yr ardal yn amlwg ar iechyd y bobl hefyd. Gwelwyd lefel uchel o broblemau'r galon, pwysedd gwaed uchel, digalondid a diffyg hyder yn gyffredinol.

Yn bwysicach na dim, roedd y cymunedau yn yr ardal wedi colli'u hyder. 'Ai wynebu'r un ffawd â Nant Gwrtheyrn oedd tynged pentrefi eraill y fro?' oedd y cwestiwn ar wefusau llawer o drigolion yn y cyfnod hwn.

Ceir traddodiad anrhydeddus o gydweithio yn yr ardal – y siopau cydweithredol yn Nhrefor, Llithfaen a Nant Gwrtheyrn, heb sôn am y llwyddiant hwyaf ei hoes, sef cwmni bysiau Moto Coch yn Nhrefor. Ond, gyda'r ysbryd wedi'i chwalu i raddau helaeth ar ddechrau'r '70au, yn amlach na pheidio, yr ymateb cyntaf i'r rhai ohonom oedd yn ceisio achub ysgol Llanaelhaearn oedd 'Pam ydach yn trafferthu? cau o wnawn nhw'! Wel, wnaethon nhw ddim ac, wrth edrych yn ôl, dyna pryd y dechreuodd y rhod droi. Yn sicr, rhoddodd y fuddugoliaeth hwb i'r syniad bod modd 'ymladd yn ôl' ac esgorodd ar Antur Aelhaearn. Gormodiaith efallai fyddai ddweud bod yr Antur wedi dod yn fyd-enwog ar y pryd ond, gyda'r gymuned yn helpu ei hun fel y fenter gydweithredol bentrefol gyntaf yng ngwledydd Prydain, daeth sylw eang. Ymysg llawer, daeth y sylw o mor bell â'r *South China Daily Star* (Hong Kong), *Cape News* (De Affrica), teledu Norwy, Iseldiroedd ac, yn nes adref 'News at Ten', *The Times, Guardian, Daily*

Telegraph, Woman, rhaglen nodwedd BBC2 ac, wrth gwrs, sylw eang gan y cyfryngau yng Nghmru.

Gyda'r pentrefwyr yn gyfranddalwyr yn nyfodol eu cymuned eu hun, roedd yn stori dda ac un wnaeth gydio yn nychymyg pobl ymhob man heb sôn am drigolion yr ardal. Nid mudiad creu gwaith mo'r Antur ond rhoi hwb i'r gymuned o bob safbwynt a sicrhau dyfodol iddi hi oedd y nod. Mae llwyddiant yn magu llwyddiant, medden nhw a llwyddwyd i raddau helaeth i osod agenda cadarnhaol ar gyfer Llanaelhaearn a'r ardal ehangach. Er gwaethaf sawl tro anodd ac weithiau annisgwyl, mae'r Antur yn bwrw ymlaen gyda chenhedlaeth newydd wrth y llyw, yn wynebu heriau'r mileniwm newydd.

Ond, wnaeth adfywiad yr ardal ddim stopio yn y fan honno. Daeth y symudiad i sefydlu Nant Gwrtheyrn fel Canolfan Iaith a chanolfan fyddai'n creu gwaith i'r ardal yn dynn ar sodla'r Antur yn y '70au. Wedi'r cyfan, yn ôl y meddylfryd, roedd hon yn un o'r ardaloedd mwyaf Cymreig a Chymraeg yn y wlad a roedd yn rhaid wrth waith i sicrhau'r cymunedau a'r iaith oedd ynghlwm wrthyn nhw. Pa well adnodd a lleoliad na'r Nant i greu gwaith ac i hybu'r iaith yr un pryd? Nid oedd pawb o'i blaid o bell ffordd. Roedd llawer yn meddwl bod yr her yn ormod ond, o dipyn i beth, daeth digon i gredu bod y peth yn bosib, a chafwyd llwyddiant ysgubol y medran ni i gyd bod yn falch ohono heddiw. Nid 'cymdeithas bentrefol' y tro hwn ond 'ymddiriedolaeth genedlaethol' gyda phobl o bob man yng Nghmyru, a phell y tu hwnt, yn dod i'r adwy a'i chefnogi er mwyn cael y maen i'r wal.

Yn y '70au, ro'n i'n arfer cynnal meddygfa yn Llithaen ddwy waith yr wythnos, bob bore Mawrth a bore Sadwrn. Nid oedd yn brysur iawn yn aml ac roedd digon o gyfle i siarad â hwn a llall. Roedd yn gyfle da felly i ddod i adnabod y bobl yn dda a gweld yr awydd a'r balchder yn eu cymuned.

Yr un oedd y rhinweddau a welwyd yn Llanaelhaearn mewn gwirionedd a'r angen yr un mor amlwg. Er bod yr ysgol a'r eglwys wedi'u cau yn y '60au ac, unwaith eto, prin oedd yr hyder, gwelwyd fflachiadau o oleuni. Tyfodd y rhain dros amser gyda rhai yn dod yn amlwg yn y frwydr i hybu'r pentref. Ceir yn y gyfrol hanes ddau ddatblygiad yn Llithfaen a ddatblygodd o bwys i'r ardal ac, yn wir, i ardal ehangach. Tyfodd y frwydr i achub unig dafarn yn y pentref, oedd wedi bod ar gau am ddwy flynedd, allan o'r gwerthfawrogiad mai hwn oedd y man cymdeithasu pwysicaf yn y pentref a, hebddi hi , byddai'n ergyd arall i hyfywyedd y gymuned. Daeth y gefnogaeth ariannol ar gyfer y Fic yn bennaf o'r fro a mae'r nod o hybu'r gymuned yn gymdeithasol a diwylliannol yn wreiddiol i'r fenter. Mae'r dafarn wedi mynd o nerth i nerth er, fel pob datblygiad arall, 'dyw'r llwybr byth yn un syth. Bellach, gydag enw am fod yn ganolbwynt cymdeithasol y pentref, mae'n arwyddocaol bod y Nant yn medru bod yn bartner hapus i'r Fic, sefyllfa lle mae pawb yn elwa.

Daeth antur Siop Pen-y-Groes wedyn gyda chriw yr un mor benderfynol o lwyddo a, bellach, mae'n fan pwysig nid yn unig ar gyfer nwyddau angenrheidiol ond, hefyd, fel ffocws cymdeithasol ac allwedd i wybodaeth yn y pentref. Ymateb wnaethon nhw, fel cyfeillion y Fic, i'r siop olaf yn y pentref yn cau ei drysau a neb yn awyddus i'w phrynu. Nifer o bobl o'r ardal sydd eto wrth y llyw a'r elfen wirfoddol yn amlwg yn y fenter. Yn wir, yr un oedd y symbyliad â gweddill mentrau'r Eifl – yr awydd, neu hyd yn oed yr awch, i sicrhau dyfodol eu cymuned Cymraeg. Yn achos y siop, mae pawb yn gwybod am her yr archfarchnadoedd ond mae'r criw lleol wedi wynebu'r her honno a chynnig gwasanaeth arbennig a phersonol. Byddai'n golled aruthrol pe na bai yno.

Y garej a'r siop yng Nghlynnog Fawr oedd y nesaf i hoelio sylw y gymuned ac, eto, yr un oedd y nod.

Cymhelliad cryf a hunan-gymorth oedd y rysait. Y garej betrol wedi cau gan adael talp helaeth o'r ffordd rhwng Caernarfon a'r Ffôr heb gyfleustra o'r fath. Roedd yr angen am siop helaethach na'r hen bost yn cynnig cyfle arall. Gydag eglwys hynafol, gadeiriol ei naws, yn fan cychwyn Taith y Pererinion yn atyniad yn yr ardal, roedd y posibiliadau yn amlwg a'r cynllun busnes yn cadarnhau hynny. Doedd neb arall wedi dangos diddordeb yn y busnes ac, felly, onibai eu bod nhw yn mynd ati fel cymuned, pwy fyddai'n arwain? Bu ymhell o fod yn daith esmwyth, ond mae'r gymuned wedi dal ati a, gyda chymorth gwahanol asiantaethau, wedi cyrraedd y nod.

Amcan y gyfrol hon yw rhoi sylw i'r mentrau cydweithredol ym Mro'r Eifl a cheisio deall pam y llwyddiant yma ac oes 'na wersi ar gyfer ardaloedd eraill? Wrth wneud hynny, ffolineb fyddai beidio â chyfeirio at y llu o fudiadau eraill yn y cylch sydd wedi, ac sydd yn, ychwanegu at awyrgylch a bwrlwm y fro – yn eu mysg, Canolfan Hanes Uwchgwyrfai, Band Seindorf Trefor, Aelwyd Gwrtheyrn, Cwmni Drama Llwyndyrys a'r gwaith gwych sydd wedi'i wneud i sicrhau cae chwaraeon o safon yn Nhrefor a'r orchest o uwchraddio'r eglwysi yn Llanaelhaearn a Chlynnog – y cyfan yn golygu oriau di-ri gan bobl ymroddedig iawn. Mae gwaith y papurau bro, Merched y Wawr, Sefydliad y Merched a'r Urdd fel cefndir i'r cyfan ac yn cynnig modd ychwanegol i gymdeithasu i wahanol oedrannau.

Yr hyn sy'n ddiddorol ym mentrau'r fro yw'r elfen o ddyfalbarhâd sy'n perthyn i bob un. Hawdd, yn gymharol, yw denu brwdfrydedd am syniad ond i'w weld yn diflannu fel tân siafins ar ôl ychydig o fisoedd wrth i'r achos wynebu eu problemau cyntaf. Ond, yn fan hyn, mae gennych chi bump o fentrau sydd, bellach, â 100 mlynedd o brofiad rhyngddyn nhw ac mae elfen ddyfalbarhâd yn perthyn i bob un.

Sut mae hynny yn bod? Pam y llwyddiant? Beth yw'r fformiwla?

Yn gyntaf, rhaid dweud nad oes un ateb. Fel y soniwyd eisoes, mae 'na gymhelliad cryf yn gyffredin i bawb sydd yn ymwneud â mentrau'r Eifl. Heb os, mae hyn wedi'i seilio ar gariad at iaith, bro a chymuned. Ond, fel y gwelwch yn y testun, mae pob achos wedi datblygu ychydig yn wahanol i'w gilydd. Gweler yn y testun hefyd, gyfansoddiadau gwahanol, deilliannau gwahanol a heriau gwahanol i'r mentrau wrth iddyn nhw droedio ymlaen. Mae hyn yn beth anorfod o'm profiad i ac yn beth i'w groesawu gan ei fod yn tanlinellu'r angen am ateb pwrpasol yn unol â'r amgylchiadau ar y pryd. Y foeswers bwysicaf fan hyn felly yw adnabod yr angen yn eich bro ac ymateb iddo fo gydag angerdd – a chynllunio gofalus! – dyfalbarhâd wedyn sy'n cloi'r fformiwla. Does dim byd gwreiddiol yn hyn a mae'r ateb yr un peth mewn gwirionedd ar gyfer entrepreneuriaeth cymdeithasol neu'r trydydd sector ag sydd ar gyfer y sector breifat.

Y broblem fwyaf mewn sawl ardal erbyn hyn yw 'arweiniad' gan fod cefn gwlad wedi colli cymaint o'i arweinwyr cynhenid. Yn ogystal, at ei gilydd, mae cyfalaf yn brin mewn bro ôl-ddiwydiannol fel hon. Er hynny, mae 'na farn a phrofiad i'w gael gan y trigolion a rhaid meithrin hynny a chreu arweinwyr o'r newydd yn eu mysg. Ni fydd hynny'n hawdd a chredaf mai'r ateb cyntaf ar gyfer talpiau helaeth o gefn gwlad heddiw, yw cyfuniad o weledigaeth oddi fewn i'r gymuned a chefnogaeth ac arbenigedd gan y cyrff statudol oddi allan fel sydd wedi digwydd i raddau helaeth yn y fro hon.

Soniais ar y dechrau am fy mhrofiad yn 26 oed yn symud i bractis meddygol yr ardal. Wedi wyth mlynedd o weithio ar fy mhen fy hun, ac yn ymwneud â gweithgarwch mudiadau cydweithredol, cefais flas ar y berthynas rhwng ffyniant cymuned neu beidio â iechyd y gymuned honno. Roedd fy nheimladau bryd hynny yn gwbl amaturaidd gan nad oedd 'meddygaeth gymdeithasol' yn rhan o unrhyw raglen hyfforddiant yn y colegau meddygol yn y '60au. Wedi treulio f'oes ar ôl ymadael â'r practis yn y maes 'iechyd cyhoeddus', mae'r rhod wedi troi a, bellach, mae'r hyn a elwir yn 'benderfynyddion ehangach iechyd' [*wider determinants of health*] yn hollbwysig ym mholisïau ein Llywodraeth. Braf felly yw gweld bod y fro wedi bod ar y blaen cymaint â hynny o flynyddoedd yn ôl.

O weithio yn y maes 'iechyd cyhoeddus' o hyd, dw i'n ymwybodol iawn o'r angen i sicrhau bod ein cymunedau yn cael eu cryfhau – 'ymbweru' [*empowerment*] yw'r gair sydd yn cael ei ddefnyddio ran amlaf ond, gydag ambell eithriad, y cymoedd yn ne Cymru yw'r ffocws ar gyfer y trafodaethau hyn. Gyda chymoedd y Rhondda wedi colli o leiaf traean o'i phoblogaeth dw i ddim yn gwarafun sylw o'r fath ond mae angen cydbwysedd a rhoi sylw priodol i'n broydd gwledig sydd wedi dioddef lawn cymaint o ddiboblogi mewn gwirionedd. Yn aml iawn, mae eu harddwch yn cuddio'r realiti ac yn gweithio yn eu herbyn weithiau! Dw i'n gobeithio y bydd y gyfrol hon yn gymorth i unioni'r balans.

Pam y pwyslais ar 'ymbweru' a be mae hyn yn ei olygu mewn gwirionedd? A ga i awgrymu mai gwaith, incwm digonol a thai clyd yw'r man cychwyn. O gael cymuned wedi'i ymbweru, mae gennych chi gymuned fwy hyderus all fod yn fwy parod i 'helpu ei hun'. O gael cymuned hyderus, mae'r bobl yn fwy hyderus. O gael unigolion mwy hyderus ac yn amlygu mwy o hunan-barch, mae'n fwy tebygol na fyddan nhw'n mabwysiadu rhai o'r patrymau ymddygiad mwyaf afiach sydd yn peryglu cymdeithas heddiw – ysmygu, gor-fwyta, deiet gwael, diffyg ymarfer ac yn y blaen.

Fel dw i'n sgwennu hwn, mae 'na ymrwymiad gan Iechyd Cyhoeddus Cymru y byddan nhw'n ymgymryd ag ymchwil i edrych ar effaith y datblygiadau cymunedol ar iechyd pobl yr ardal. Gobeithio na welwn yn y dyfodol gymaint o bobl yn marw yn ifanc o afiechydon na ddylai fod wedi eu taro pe byddai eu hamgylchiadau yn well. Creu cymunedau cynaliadwy yw'r amcan a chreu cymunedau hyfyw yw'r nod.

O edrych yn wrthrychol ar yr hyn sydd wedi digwydd ym Mro'r Eifl dros y 40 mlynedd diwethaf, ni all rywun ond bod yn falch o'r llwyddiannau ond, chwedl yr hen air 'nid da lle gellir gwell' ac, heb os, mae 'na fodd camu ymlaen i bethau gwell yn seiliedig ar y profiadau a gafwyd eisoes. Ceir blas ar rai o'r posibiliadau yn y gyfrol ond un peth sydd gwir angen ei ddatblygu yn fwy yw cydweithio rhwng y gwahanol 'unedau' mentrol. Rhaid chwilio nid yn unig am gyfleoedd i weithio ar y cyd ond, hefyd, hybu gweithgarwch ei gilydd, sicrhau llais unedig ar adegau a hybu'r ardal yn gyffredinol. 'Mewn undeb mae nerth', a lle gwell i ddechrau na gyda'r mentrau cydweithredol eu hunain.

Mae wedi bod yn fraint bod â chysylltiad â'r ardal ers y '70au a gweld tyfiant y gwahanol ddatblygiadau dros y blynyddoedd. Mae'r her i sail ein cymunedau yn fwy nag erioed ond, mewn byd lle mae'r pwysau byd-eang yn fwy ystrydebol o unffurf bob blwyddyn, mae'r awydd gan bobl i fynegi eu hunaniaeth, a gwarchod y gwerthoedd cynhenid, hefyd yn ennyn cefnogaeth gynyddol. Siawns mai'r ail fydd yn goroesi!

Yn y cyfamser, mae 'na rai sydd yn fodlon cynnal y fflam a diolch amdanyn nhw!

Carl Clowes
Chwefror 2012

Llanaelhaearn yn y '70au cynnar cyn codi'r Ganolfan

ANTUR AELHAEARN
Llanaelhaearn

gan Llŷr ap Rhisiart

Ganwyd Antur Aelhaearn o'r frwydr i gadw Ysgol Gynradd Llanaelhaearn yn agored. Ym mis Medi 1970, daeth Carl Clowes yn feddyg teulu ifanc i'r pentref. Ar y pryd, fel heddiw, roedd pentrefi cefn gwlad yn wynebu cryn broblemau, sef lleihad yn nifer y disgyblion mewn ysgolion cynradd gan fod rhy ychydig o bobl ifanc yn ymgartrefu yn yr ardaloedd oherwydd diffyg cyfleoedd am swyddi a diffyg cyflenwad o dai i bobl leol.

Wrth ystyried hyn sylweddolwyd mai brwydr fechan a enillwyd drwy gadw'r ysgol yn agored. Penderfynwyd sefydlu cymdeithas newydd i gymryd yr awenau oddi ar y Gymdeithas Rieni ac i gario ymlaen â'r hymdrechion.

Enw'r gymdeithas newydd oedd Cymdeithas y Pentrefwyr. Ei hamcan oedd ceisio datrys y problemau a wynebai'r pentref ac yn fwy na dim, ceisio sicrhau bod yr ardal yn fwy deiniadol i bobol ifanc aros a setlo ynddo. Rhai o'r problemau oedd yn wynebu'r Gymdeithas newydd oedd tai haf, rheolau'r Pwyllgor Cynllunio a derbyniad teledu – oedd, roedd y pethau y ceisiwyd eu gwneud fel Cymdeithas y Pentrefwyr yn amrywiol iawn.

Yn ystod y cyfnod hwn, buddugoliaeth arall i'r pentrefwyr oedd llwyddo i gael rheithor newydd i eglwys hynafol Aelhaearn Sant. Tua diwedd 1974 roedd rheithor y plwyf, y Parchedig William Roberts, yn ymddeol. Rhaid cyfaddef nad oedd llawer o obaith cael rheithor newydd gan fod y plwyf yn denau ei boblogaeth, yn anghysbell ac, yn bwysicach efallai, bod prinder offeiriaid yn gyffredinol. Aeth rhai o'r plwyfolion i Fangor i roi'r achos gerbron yr Archddeon ond ni ddaeth hyn â llawer o obaith. Ysgrifennodd Carl Clowes at Archesgob Cymru, y Gwir Barchedig Gwilym O. Williams, gan bwysleisio'r angen am gydbwysedd mewn unrhyw ddatblygiadau yn y gymdeithas.

Yna, yn gwbl annisgwyl, daeth y newydd fod curad ifanc o Gaernarfon â diddordeb mewn dod i'r plwyf i wasanaethu.

Bu cryn bwysau arno i aros yng Nghaernarfon a dringo'r ysgol arferol yn lle dianc i blwyf diarffordd yng nghefn gwlad (yr un pwysau proffesiynol a fu ar Carl Clowes cyn iddo ddod i bractis Llanaelhaearn). Er hynny daeth y Parchedig Idris Thomas, a oedd yn enedigol o Ddinorwig, yn offeiriad i blwyf Llanaelhaearn yn haf 1975.

Cafwyd blas ar ei frwdfrydedd yn ystod yr wythnosau cyntaf yn y plwyf pan drefnodd ŵyl bentref yn seiliedig ar yr Eisteddfod a oedd eisioes ar y gorwel. Mae hyn yn enghraifft ymarferol o bwysigrwydd cadw ein swyddi allweddol yn y gymdeithas wledig. Yn anffodus ar yr un adeg daeth y newydd fod Capel y Babell yn colli'r Parchedig Goronwy Prys Owen gan ei fod wedi derbyn gofalaeth yng Nghaernarfon. Yna cafwyd newydd tristach fyth – nid oedd gan aelodau Capel y Babell y modd ariannol i benodi olynydd iddo.

Yn 1973, roedd yn rhaid rhoi sylw unwaith eto i broblemau'r ysgol. Dros gyfnod o flynyddoedd, roedd ysgol Llanaelhaearn wedi wynebu nid yn unig leihâd yn nifer ei disgyblion ond hefyd dirywiad enbyd yng nghyflwr yr adeilad. Ni wariwyd nemor ddim ar baent ers blynyddoedd. Roedd Tŷ'r Ysgol nid yn unig yn wag ond mewn cyflwr gwael. Cyfyngwyd ar ddalgylch yr ysgol ers rhai blynyddoedd a gyrwyd disgyblion oedd yn byw ar ymylon y dalgylch i ysgolion cyfagos. Gohirwyd hysbysebu swydd y prifathro sawl tro yn y gorffennol a rhoddwyd swydd i un a oedd i ymddeol mewn amser byr. Roedd hi'n amlwg bod cynllwyn a chynlluniau ar y gweill i gau'r ysgol sawl blwyddyn cyn gwneud unrhyw benderfyniad cyhoeddus. Ar ymddeoliad Miss Williams, y brifathrawes yn 1974 ni fwriedid hysbysebu'r swydd. Mynnai Cymdeithas y Pentrefwyr y dylid ei hysbysebu. Rhoddwyd dau reswm iddynt pam na ellid gwneud hynny.

Villagers plan take-over if school is forced to shut

By Our Education Correspondent

VILLAGERS AT Llanaelhaearn, on the Lleyn Peninsula, will take over their local school if Caernarvonshire Education Authority goes ahead with its plans to close it.

The county education committe...

...croes, where two years ago parents occupied the school after it had been officially closed by the education authority.

They ran the school with two...

Villagers have two months to protest to the Secretary of State for Wales, Mr Peter Thomas, against the closure of the school which has 26 pupils and two teachers. If he...

...but in other counties of North Wales there are schools smaller than ours and the respective education committees have no intention of closing them.

"If every authority adopted the same attitude as Caernarvonshire there would be no future for the...

Cysgodion Ysgol Bryncroes yn bygwth

Y CYMRO

THE WELSHMAN

Trodd y brotest yn ddathlu

Dathlu

Y rali amddiffyn a drodd yn ddathliad buddugoliaethus

YSGOL YN DATHLU

16—CAERNARVON & DENBIGH HERALD, FRIDAY, JULY 21, 1972.

SCHOOL VICTORY MARCH

Parents and villagers of Llanaelhaearn, headed by their banner and the Trefor Silver Band, on a march round The Square, Caernarvon, to celebrate victory in their fight to keep the village school open.
(For full story turn to Page 9).

300 in school victory march

OVER 300 people marched through Caernarfon on Saturday to celebrate their defeat of a county council
versed. One hopes that Thursday last reflects a change in policy by Caernarfonshire Education Authority

Rali

Ysgol Llanaelhaiarn

3 o'r gloch ym

MAES CAERNARFON

Croeso i'r newydd bod Llanaelhaearn yn cael cadw'i ysgol

1. Roedd Mehefin (fel ag yr oedd erbyn hynny) yn rhy hwyr i hysbysebu am rywun i ddechrau y mis Medi dilynol, ac roedd gan y Pwyllgor Addysg rywun mewn golwg ar gyfer y swydd, p'run bynnag – awgrym Cymdeithas Rhieni i'r Pwyllgor Addysg oedd llenwi'r swydd dros dro, hyd nes y gallai unrhyw ddarpar-brifathro ddechrau ar y gwaith.
2. Ni allai ysgol fechan fel hon, gyda cyn lleied o ddisgyblion ynddi, ennyn digon o ddiddordeb ymhlith ymgeiswyr.

Credai'r Gymdeithas Rieni yn wahanol a llwyddwyd i'w cael i hysbysebu'r swydd, ar ôl cryn berswadio. Ymgeisiodd tri deg chwech am y swydd a phenodwyd John Roberts yn brifathro Ysgol Llanaelhaearn.

Poblogaeth y Plwyf

Rhwng 1961 a 1971 bu lleihad difrifol ym mhoblogaeth y plwyf.

- 1921 - 1,543
- 1931 - 1,654
- 1951 - 1,323
- 1961 - 1,242
- 1971 - 1,059

Mae dirywiad o'r fath yn effeithio ar wasanaethau'r ardal, fel cynnal siopau, y gwasanaeth bysiau, a'r orsaf heddlu leol, y meddyg, gweinyddes, rheithor a gweinidog. Dibynna'r rhain i gyd yn y pen draw ar boblogaeth, a rhaid cynnal honno ar lefel arbennig i'w cyfiawnhau. Yn gynnar yn 1973, teimlad rhai o'r pentref oedd nad oedd Cymdeithas y Pentrefwyr yn gwneud llawer o wahaniaeth i wir broblemau'r pentref, (er iddynt lythyru'n aml â'r awdurdodau lleol), sef tai a gwaith. Bryd hynny nid oedd y cyngor plwyf yn ystyried y pethau hyn yn rhan o'i gyfrifoldeb chwaith.

Tua'r un adeg dechreuodd un neu ddau feddwl y buasent yn medru gwneud mwy i helpu eu hunain. Rhaid oedd cyd-weithio i ddatrys y problemau. Ond sut a lle i ddechrau, dyna oedd y cwestiwn.

Yn 1970 ymwelodd Carl Clowes â Beanntrai yng ngorllewin Corc yn Iwerddon, a chan bod ganddo ddiddordeb erioed yn niwylliant y wlad honno, treuliodd ddiwrnod ar Òilean Cléire, ynys tuag wyth milltir o Faltimor yn ne-orllewin y sir.

Yno roedd yr ynyswyr yn ceisio gwneud rhywbeth i helpu'u hunain, fel gwerthu cynnyrch yr ynys. Efallai fod gwers yma i ardalwyr Llanaelhaearn. Ysgrifennodd Carl Clowes at Gael Linn yn Nulyn i holi pwy oedd yn gyfrifol am y datblygiad yno ac fe'i rhoddwyd mewn cysylltiad â'r Tad Tomas O'Murchu ar yr ynys.

Ar ôl peth llythyru ymwelodd dau o Lanaelhaearn â'r ynys, sef Carl Clowes ac Emrys Williams, cyn Gŵyl y Pasg 1973. Buont yno am wythnos. Heb os, cawsant eu hysbrydoli gan eu harosiad arni, ac wedi gweld beth a allai cydweithredu ei gyflawni. Daethant yn ôl a chynnal cyfarfod cyhoeddus yn yr hen Neuadd Goffa.

Hysbyswyd y cyfarfod yn eang o gwmpas yr ardal gyda'r amcan o drafod y ffordd ymlaen i sicrhau dyfodol y pentref. Dewiswyd wyth o bobl i fod ar y Pwyllgor Llywio, a'u bryd ar ystyried beth oedd y posibiliadau yn Llanaelhaearn. Gadawyd pethau yn hollol benagored yn nwylo'r pwyllgor.

Aelodau'r pwyllgor cyntaf dan gadeiryddiaeth y Parchedig Goronwy Prys Owen oedd Emrys Williams, William Arthur Evans, Gwenno Mai Jones, Joan Jones, Nyrs Laura Toffarides, William Knights a'r Meddyg Carl Clowes. Cysylltwyd yn gyntaf â Chymdeithas Trefnu Amaethyddol Cymru (*W.A.O.S.*) yn Aberystwyth, mudiad oedd yn rhoi

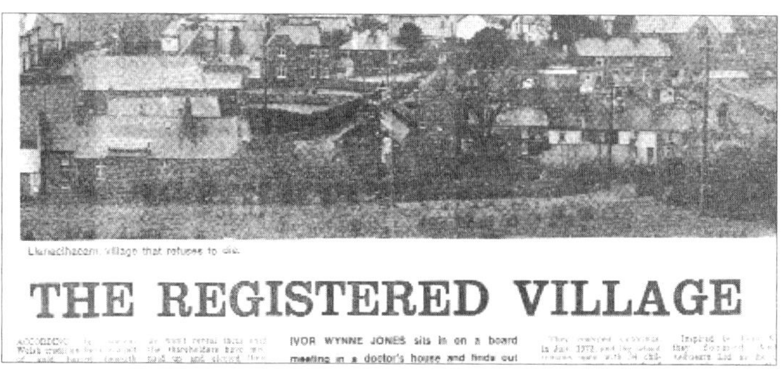

Llanaelhaearn: village that refuses to die.

THE REGISTERED VILLAGE

IVOR WYNNE JONES sits in on a board meeting in a doctor's house and finds out

Ysbryd y weledigaeth yn cael ei grynhoi gan y 'Daily Post'

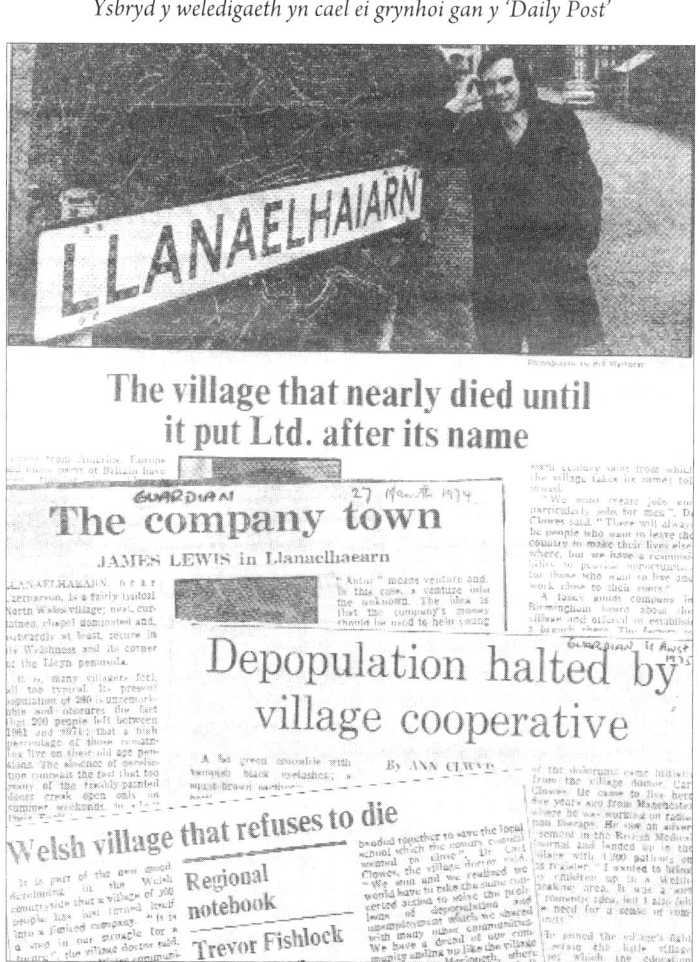

The village that nearly died until it put Ltd. after its name

GUARDIAN 27 March 1974

The company town

JAMES LEWIS in Llanaelhaearn

LLANAELHAEARN, near Caernarvon, is a fairly typical North Wales village; neat, curtained, chapel dominated and, outwardly at least, secure in its Welshness and its corner of the Lleyn peninsula.

"Antur" means venture and in this case, a venture into the unknown. The idea is that the company's money should be used to help young

GUARDIAN 11 Aug 1975

Depopulation halted by village cooperative

By ANN CLWYD

Welsh village that refuses to die

Regional notebook

Trevor Fishlock

Wynebu'r her o daclo problemau gwledig

Plant hapus yr ysgol gyda ei brifathro newydd, John Roberts

Ioan Roberts yn ymweld a phentref anturus Llanaelhaearn

Brwydr cau ysgol a droes yn antur i greu pentref delfrydol

Nid ar chwarae bach y caeir y drws

Man cychwyn yr Antur yn dilyn buddugoliaeth i gadw'r ysgol cymorth i gymdeithasau cydweithredol amaethyddol yng Nghymru. Bu cyfarfod gyda swyddogion y Gymdeithas ynghŷd â chyfrifydd lleol i drafod syniadau'r pwyllgor llywio ymhellach. Aeth naw mis heibio cyn dod o hyd i gyfansoddiad oedd yn dderbyniol gan gyfraith gwlad. Felly, ar 1af Ionawr, 1974 fe'i cofrestrwyd fel Cymdeithas Gyfeillgar Gyfyngedig yn unol â Deddf Cymdeithasau Diwydiannol a Darbodus 1965. Ganwyd Antur Aelhaearn – Cymdeithas Gydweithredol Gymunedol – fel mudiad annibynnol ac amhleidiol a chofrestrwyd ei amcanion yn ffurfiol fel a ganlyn:

1. I sicrhau a hyrwyddo bodolaeth Llanaelhaearn a'i gyffiniau fel cymuned, ac yn arbennig i atal a gwrthdroi y duedd tuag at ddiboblogi.
2. I ddarparu cyflogaeth yn yr ardal, ac i'r diben hwn, i sefydlu neu ddenu unrhyw ddiwydiant, masnach neu fusnesion a oedd yn gydnaws â chymeriad yr ardal.
3. I ddarparu tai, cyfleusterau neu wasanaethau, pan fyddai eu hangen, a fyddai o fudd i'r gymdeithas.
4. Pan fyddai angen hwyluso'r ffordd i gyflawni'r uchod, i ddarparu unrhyw wasanaeth, masnach neu fusnes priodol.

Aethpwyd i bob tŷ ar Gofrestr Etholaeth Llanaelhaearn i ennyn cefnogaeth, a rhanwyd pamffledi. Erbyn diwedd Chwefror 1974, roedd wyth deg o aelodau a chynhaliwyd y cyfarfod cyntaf yn festri Capel y Babell gyda'r Br I.B. Griffith, Caernarfon wedi'i wahodd i fod yn siaradwr gwadd. Gan ddyfynnu'r adnod 'Yr oedd gan y bobl galon i weithio', rhoddodd I.B. gychwyn swyddogol i Antur Aelhaearn. Roedd yna gryn gwestiynu y noson honno, ond bellach, nid oedd troi yn ôl!

Aelodaeth yr Antur

Roedd unrhyw un ar Gofrestr Etholaeth Llanaelhaearn yn medru, trwy dâl o £1, fod yn gyfranddalwr; gwaherddid rhoi mwy nac un cyfranddaliad i un person. Mae gan bob cyfranddalwr yr hawl i bleidleisio yn y Cyfarfod Cyffredinol Blynyddol, ac unrhyw gyfarfod arall a gynhelir, ac wrth gwrs caiff pob unigolyn y cyfle i gynnig eu syniadau.

Dewis y pentrefwyr oedd cyfyngu pob unigolyn i gyfranddaliad o £1. Mae'r cwmni felly yn hollol ddemocrataidd gan fod pawb – boed bensiynwr, person di-waith neu fyfyriwr – â llais cyfartal. Ni wneir elw o gwbwl ar y cyfranddaliadau ac ni ellir eu dychwelyd na'u trosglwyddo.

Ar y pryd roedd 160 o'r pentrefwyr yn aelodau'r Antur – mae hyn yn cynrychioli tua 80% o dai y pentref. Anfonir tystysgrif i'r cyfranddalwyr yn cydnabod eu hymaelodaeth ac mae hon yn cael ei stampio a'i selio yn swyddogol gan yr Antur. Nid mudiad cydweithredol y gweithwyr yw Antur Aelhaearn felly, ond yn hytrach mudiad cydweithredol cymunedol.

Penderfyniad positif oedd hwn am ddau reswm. Yn gyntaf, roedd nod yr Antur yn ehangach na chreu gwaith ac yn ail oherwydd hyn, roedd hi'n bwysig i'r gymdeithas gyfan mewn pentref mor wledig a thenau ei boblogaeth, gael lleisio eu barn. Nid elusen chwaith mo'r Antur gan nad oedd y Comisiynwyr Elusennau yn ystyried mudiad, â chreu gwaith yn brif nod iddo, yn un elusengar.

Stoc Fenthyg

Yn wahanol i'r cyfranddaliadau, mae'r stoc fenthyg ar gael i unrhyw un, boed yn byw yn Llanaelhaearn ai peidio, ac yn wir, mae pobl, nid yn unig ledled Cymru, ond hefyd ar hyd a lled Ewrop ac America wedi buddsoddi yn yr Antur. Telir llog ar y stoc fenthyg os dymunir. Mae llawer iawn o bobl wedi dewis buddsoddi'n ddi-log ac, wrth gwrs, roedd hyn yn

ANTUR AELHAEARN

Beth yw hanes pentref Llanaelhaearn?

TYFIANT

Tyfodd pentref LLANAELHAEARN, fel llawer i Lan arall yng Nghymru, o gwmpas yr Eglwys. Sefydlwyd hon yn y chweched ganrif, pan anturiodd y Sant Aelhaearn, un o ddisgyblion Beuno, yma o Glynnog Fawr.

[illegible] Arfon, Llŷn ac Eifionydd. [illegible] gwâr Cymreig yn [illegible].

[illegible] hir hwn i waed y trigolion. Magwyd yma [illegible] a phendertynol, fel John Roberts, (Siôn Robert Lewis), awdur y pennill "*Braint, braint, yw cael cym[illegible]*", a chyhoeddwr *Almanac Caergybi*. A [illegible] Robert Hughes, [illegible] i Lundain i [illegible], ond a ddaeth adref [illegible], wedi'i danio gan yr efengyl. [illegible] Syr David Hughes-[illegible] *O Bentref Llanaelhaearn i Ddinas Llundain*, a chad[illegible] y pwyllgor a sefydlwyd i [illegible] statws cyfreithiol [illegible] Cymraeg.

[illegible] hwnnw yr oedd digon o waith yn y pentref ar gyfer y trigolion. Mewn gair, yr oedd digon o amrywiaeth yn yr economi. Ffermydd, chwareli, siopau, efail y gof, melinau, ac hyd yn oed adeiladu llongau.

ANTUR AELHAEARN

ARWYDDION BYWYD

Ond eisioes fe ymddangosodd rhai arwyddion gobeithiol o ddadeni newydd ym mywyd yr ardal:

- 1970: Gwrthod gadael i Henaduriaeth Llŷn ac Eifionydd gau capel Cwmcoryn.
- 1971: Ail-ddechrau cyfarfod defosiynol ar noson waith (seiat) yng Nghapel y Babell, ar ôl bwlch o bymtheg mlynedd.
- 1971: Ffurfio Cymdeithas Rhieni i ymladd bygythiad gan y Pwyllgor Addysg i gau ein hysgol.
- 1972: Llwyddo i atal bwriad y Pwyllgor Addysg i gau Ysgol y Pentref.
- 1972: Sefydlu cangen o Ferched y Wawr.
- 1972: Sefydlu Cymdeithas y Pentrefwyr.
- 1973: Ail-sefydlu Pwyllgor y Neuadd.
- 1973: Ail-sefydlu Adran yr Urdd.

Ac mae'r W.E.A., W.I., Cyfarfod Plant a'r Ysgol Sul yn dal i ffynnu.

Y WELEDIGAETH

Ond ni fydd parhâd i'r deffro cymdeithasol hwn, oni welir hefyd ddeffro economaidd. Rhaid wrth [illegible] gwaith a bywoliaeth a [illegible] i'r genhedlaeth sy'n codi, a hynny yn eu bro eu hunain. Dyna pam y sefydlwyd

ANTUR AELHAEARN

yn gwmni masnachol cyd-weithredol yn y pentref.

Amcanwn feithrin bywyd economaidd y gymdeithas leol drwy ddarparu gwaith yn lleol, a thrwy hynny, atal y diboblogi. Bwriadwn sefydlu crefftdai a gweithdai [illegible] sy'n gweddu i gymeriad y gymuned. Gobeithiwn yn y dyfodol i ddarparu tai ar gyfer ein pobl.

Rhaid wrth gyfalaf i weithredu'r math hwn o gynllun. Gellir cynorthwyo i godi'r cyfalaf hwn:

(a) Trwy ymaelodi â'r Gymdeithas (os ydych yn byw yn Llanaelhaearn). Tâl aelodaeth £1.

(b) Trwy brynu stoc benthyg. Telir llog o 9% ar y budd soddiadau.

(c) Trwy gyflwyno rhodd tuag at yr ANTUR.

Buddsoddiadau yw hwn sy'n mynd i ddiogelu'r Gymdeithas yn y cwr hwn o Gymru.

Mynnwch ddyfodol llewyrchus i Gefn Gwlad drwy gefnogi

Taflen wreiddiol yr Antur i ddenu cefnogaeth

Steffan Rhys, y Crochenydd

Carl Clowes yn edmygu'r gwaith

Stondin yr Antur, Eisteddfod Genedlaethol Cricieth

Gwaith gwau deniadol yr Antur – y 'crysbas'

Rose Williams, un o'r tîm gwau wrthi yn ddiwyd

gymorth mawr i'r Antur. Rhaid cofio nad oedd gan y buddsoddwyr hawl i bleidleisio o gwbl yng ngweithgarwch yr Antur. Roedd hyn yn bwysig i gymdeithas fechan fel Llanaelhaearn, oherwydd sicrhawyd bod datblygiadau'r Antur yn aros yn nwylo'r pentrefwyr. Roedd y system o gynnig stoc fenthyg yn helpu'r Antur i gael arian angenrheidiol ar y dechrau, ac yn annog rhywun a oedd am helpu o'r tu allan i'r ardal wneud hynny yn y dull hwn heb danseilio'r reolaeth leol.

Y Senedd

Dyma'r corff sy'n rheoli'r Antur ac mae iddo hyd at ddeuddeg o aelodau. Y Senedd sy'n gyfrifol am redeg yr Antur o fis i fis, yn yr un modd ag y rhedir cwmni gan fwrdd cyfarwyddwyr. Dewisir y Senedd yn y cyfarfod cyffredinol blynyddol. Gwnaed ymgais i dorri ar awyrgylch sych arferol 'cyfarfodydd blynyddol' drwy gael siaradwyr gwadd a chynnig paned o de. Cafwyd anerchiad, er enghraifft, gan y Tad Tomas O'Murchu o Oilean Cléire, a chafwyd pump o enethod lleol yn arddangos y dillad a wnaed yn Llanaelhaearn.

Erbyn Mehefin 1974 roedd tua £1,000 wedi'i fuddsoddi yn Antur Aelhaearn ac roedd y Senedd yn barod i ystyried beth a fyddai ei hanturiaeth gyntaf. Digwyddwyd gweld hysbyseb gan fachgen lleol, a oedd bryd hynny yn was sifil yn Aberystwyth, yn nodi ei fod eisiau ymsefydlu fel crochenydd mewn ardal Gymreig. Roedd ei deulu yn hanu o Nefyn ac, er iddo gael ei fagu yn Lerpwl, roedd yn awyddus i ddysgu Cymraeg, ac yn wir roedd wedi llwyddo i wneud hynny i raddau helaeth.

Cyfwelwyd Steffan Rhys gan y Senedd ac, er fod nifer o grochenyddion yn yr ardaloedd cyfagos, penderfynwyd ei gyflogi ar raddfa fechan. Cael gweithdy addas oedd y brif broblem bryd hynny, yn ogystal â cheisio cael cartref i Steffan Rhys.

Yng Ngorffennaf 1974, cafwyd caniatâd i ddefnyddio modurdy Bryn Meddyg (cartref Carl a Dorothi Clowes) fel crochendy dros dro.

Erbyn canol yr haf roedd hi'n amlwg fod Antur Aelhaearn yn cael cyhoeddusrwydd annisgwyl. Dechreuodd erthyglau amdani ymddangos ym mhapurau Llundain a Lloegr yn gyffredinol, yn ogystal â'r papurau Cymreig. I fanteisio ar y diddordeb eang yma aethpwyd ati i gynnal arddangosfa lwyddiannus yn yr ysgol. Cafwyd hawl gan y pwyllgor addysg i ddefnyddio'r ysgol am bum wythnos yn ystod gwyliau'r haf – a hynny yn ddi-dâl. Ymwelodd tua 2,000 o bobl â'r arddangosfa lle cafwyd dehongliad o'r ymgyrch ers 1970 drwy arddangos toriadau papur newydd, llythyrau ac ati. Yno hefyd roedd cynnyrch cyntaf Antur Aelhaearn, sef crochenwaith Steffan Rhys. Rhoddwyd cyfle hefyd i bob crefft a wnaethpwyd yn lleol gael ei arddangos.

Roedd un rhan o'r Arddangosfa wedi'i neilltuo oddi wrth y gweddill. Roedd hon yn ymwneud â'r ymweliad i Oilean Cléire, a chyda cymorth map, lluniau a chynnyrch yr ynys, amlinellwyd y ddolen gyswllt. Neilltuwyd cornel arall i amlen arbennig a oedd ar werth – amlen gyda cherdyn eglurhaol oddi mewn iddi ac arni stamp dileu gan Swyddfa'r Post i gofnodi'r ffaith mai Antur Aelhaearn oedd y Gymdeithas Gydweithredol Bentrefol gyntaf yng ngwledydd Prydain.

Yn ystod haf 1974 daeth cwmni ryngwladol enwog Knitmaster i gysylltiad â'r Antur, ar ôl gweld eitem ar y rhaglen newyddion *News at Ten*, ac ymwelodd un o gyfarwyddwyr y cwmni, sef Roly Groome, â Llananelhaearn. Awgrymodd y byddai diwydiant gweu yn yr ardal yn llwyddiannus iawn a soniodd am ei lwyddiant mawr yn yr Alban, Iwerddon a Swydd Efrog. Daeth â pheiriannau ac enghreifftiau gydag ef er mwyn iddo allu profi ei bwynt.

Wrth gofio am gymeriad yr ardal a'r cefndir lleol o wau

gartref cymeradwywyd y syniad gan y Senedd. Prynwyd dau beiriant a chafwyd dau arall yn rhodd. Ar y dechrau defnyddiwyd y peiriannau mewn cartrefi, yna symudwyd y gwaith i garafan fechan a brynwyd yn rhad ac a beintiwyd gan aelodau'r Antur. Lleolwyd hon ar dir yr Antur, lle gobeithwyd hyfforddi dau neu dri o bobl gyda'i gilydd. Ni fu hyn yn llwyddiant mawr gan ei bod yn rhy oer a'r garafan yn ysgwyd gormod yn y gwynt a chan symudiad y peiriannau!

Carafan yr Antur
– cartref cyntaf y gwaith gwau

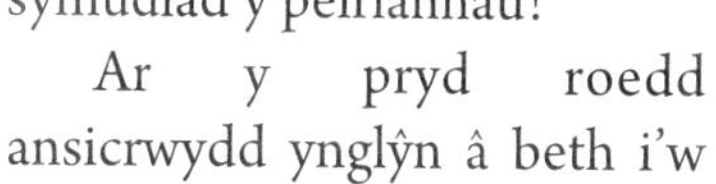

Ar y pryd roedd ansicrwydd ynglŷn â beth i'w gynhyrchu gan nad oedd steil arbennig na phatrwm wedi'i benodi. Roedd arbrofi am newid hynny ond roedd y diffyg cyngor oedd ar gael ar y pryd yn bryder.

Erbyn Nadolig 1974, lluniodd dwy ferch o'r ardal, Joy a Sylfia Williams, gardiau Nadolig a gwerthwyd 10,000 ohonynt. Cyhoeddwyd calendr yn 1975. Yn ystod gaeaf 1975, mewn cydweithrediad â'r Cyngor Sir, dechreuodd Antur Aelhaearn ddosbarthiadau nos dysgu Cymraeg. Parhaodd y cyrsiau am dair blynedd gyda'r nifer a oedd yn eu mynychu yn amrywio rhwng 8 a 10.

Yn y cyfarfod blynyddol yn 1975, sefydlwyd Cyfeillion yr Antur i geisio hybu'r cydbwysedd cymdeithasol i'r datblygiadau. Prif nod y cyfeillion oedd cynnal eisteddfod yn Llanaelhaearn a hynny am y tro cyntaf ers 1926, bron i hanner can mlynedd ynghynt. Cynhaliwyd nifer o weithgareddau er mwyn sicrhau cronfa angenrheidiol, a chafwyd eisteddfod lwyddiannus iawn yn yr hydref.

Mae'r eisteddfod yn dal i gael ei chynnal heddiw yn ei chartref newydd – Canolfan y Babell.

Ym mis Awst 1974, derbyniodd Carl Clowes alwad ffôn gan ddiwydiannwr o Birmingham. Roedd wedi darllen am yr Antur yn y *Birmingham Daily Post* a theimlai y gallent fod o gymorth i'w gilydd. Yn ddiweddarach daeth Hartheimer o Shaw Munster Cyf., Birmingham i Lanaelhaearn i weld Antur Aelhaearn ac i roi ei syniadau gerbron y Senedd. Dywedodd y byddai ef yn gallu sicrhau gwaith i'r Antur yn y farchnad bathodynnau enamel petai adeilad a gweithwyr addas iddo yn lleol. Ymddangosai yn syniad da. Ei gwmni ef a fyddai'n gyfrifol am ddysgu'r dechneg a thalu'r cyflogau. Cafwyd sicrhad mai dim ond pobl leol a fyddai'n cael eu cyflogi ac y buasent yn gweithio ar yr un telerau a'r gweithwyr yn y brif ffatri.

Cytunodd y Senedd ar hyn ac aethpwyd ati i chwilio am adeilad addas i gynnal y gwaith. Rhyw ddau fis yn ddiweddarach, roedd yr ymdrech i gael adeilad addas yn dal i fynd rhagddo. Roedd teimlad fod cyfle da yn llithro o'u gafael. Tua'r amser yma rhoddwyd tri chwarter erw o dir yn rhodd i'r Antur. Roedd y tir hwn wrth ochr y brifffordd ynghanol y pentref. Felly, teimlai'r aelodau mai hwn oedd y cyfle i godi adeilad eu hunain ar y tir at bwrpas y gwaith. Er fod yr adran gynllunio wedi gwrthod caniatâd i un o gyn-berchnogion y tir adeiladu tai arno, roedd yr Antur yn gobeithio y byddent yn cael caniatâd cynllunio oherwydd:-

1. Cais ydoedd i gael canolfan waith, a olygai waith yn lleol. Roedd diweithdra a diboblogi yn uchel yn yr ardal.
2. Roedd y cais yn mynd o flaen awdurdod newydd, sef Cyngor Dosbarth Dwyfor, a fyddai gobeithio gydag agwedd wahanol tuag at ddatblygiadau o'r fath.

ANTUR AELHAEARN

Rhif y Dystysgrif 4

Cofrestrwyd yn ôl gofynion Deddf Cymdeithasau Diwydiannol a Darbodus 1965.
Anfonwyd allan gan ufuddhau ac yn ddarostyngedig i ddarpariaethau rheolau cofrestredig yr Antur.

TYSTYSGRIF CYFRANDDALIWR

Rhif Cofrestredig y Cyfranddaliwr 4

Hyn sydd i dystio bod Mrs. Dorothy Clowes
o Ffyn Meddyg, Llanaelhaearn
yn ddaliwr cofrestredig Un Gyfran gwerth un bunt (£1) yn yr Antur.

Rhoddwyd dan Sêl Gyffredin y cyfryw Antur y 10fed dydd o Ionawr 1974.

Aelodau'r Pwyllgor Rheoli.

Gwenna M. Jones. Ysgrifennydd.

Nodyn.—Ni chaniateir trosglwyddiad unrhyw gyfran yn yr Antur.

Tystysgrif aelodaeth Antur Aelhaearn

Siop haf yr Antur yn yr Hen Efail, Llechdara

Amlen arbennig a stamp Owain Glyndŵr
– modd i ddathlu sefydlu'r Antur

Dafydd Wigley AS yn annerch y dorf wrth agor
Canolfan yr Antur, Rhagfyr 1975

Cynghorydd J.O. Roberts yn annerch ar achlysur yr agoriad

3. Y ffaith bod 160 o'r pentrefwyr, a gynrychiolai Antur Aelhaearn, y tu ôl i'r cais, gyda chefnogaeth y Cyngor Cymuned lleol.

Gwireddwyd gobeithion y pentrefwyr a rhoddwyd caniatâd cynllunio. Dechreuodd y gwaith adeiladu ar y safle yn fuan yn 1975. Yn sgil yr hawl cynllunio, fodd bynnag, fe ddaeth problemau. Cyhuddwyd y Cyngor o fod yn rhagfarnllyd wrth roi caniatâd cynllunio i Antur Aelhaearn i ddatblygu'r safle. Rhaid pwysleisio nad achwyn ar ran y sawl a oedd wedi gwneud cais i godi tai cynt oedd hyn, ond gan ŵr busnes lleol, ac yntau newydd wrthod y cyfle am gynnig cyntaf i brynu'r tir.

Pan wnaethpwyd cŵyn ffurfiol yn erbyn y Cyngor, daeth y mater i sylw'r Ombwdsman ac fe gafwyd Cyngor Dosbarth Dwyfor yn euog o ddangos ffafriaeth at Antur Aelhaearn. Rhaid cofio yma nad oedd unrhyw aelod o'r Antur yn cael unrhyw enillion o'r fenter. Yn syml, menter er lles y gymdeithas ydoedd.

Adeiladwyd y ganolfan a symudodd Shaw Munster Cyf. iddi ddiwedd Awst 1975. Roedd gwaith i wyth o bobl yno a chynyddodd hynny yn fuan iawn i ddeg. Agorwyd yr adeilad yn swyddogol ar 20 Rhagfyr, 1975 gan Dafydd Wigley, yr aelod seneddol lleol, gyda J. O. Roberts a'r Dr Eirwyn Ll. Evans yn annerch ar ran Cyngor Sir Gwynedd ac R. Edgar Jones, cadeirydd Cyngor Dwyfor, ar ran y cyngor hwnnw. Yn arwain yr anthem genedlaethol roedd Seindorf Trefor.

Adeiladwyd y ganolfan yn gyfan gwbl gan adeiladwyr lleol. Daeth y briciau o Drefor a defnyddiwyd gwenithfaen lleol i roi wyneb ar ran o'r adeilad. Cafwyd bil am £11,000 am yr adeilad. Defnyddiwyd buddsoddiadau'r Antur a rhoddion nifer fawr o gefnogwyr i godi'r swm hwn a sicrhawyd morgais o £6,000 gan awdurdod lleol ar gyfradd safonol o log.

Ar y dechrau, ar gyfer Shaw Munster Cyf. yn unig yr oedd y ganolfan ond fel yr aeth y cynllun rhagddo, ychwanegwyd darn at yr adeilad gwreiddiol i'w ddefnyddio fel crochendy, adran wau, swyddfa a thoiledau.

Wedi'r holl waith caled siom fawr fu i Carl Clowes dderbyn neges ffôn yn oriau mân un bore. Roedd gweithiwr o'r becws lleol wedi gweld car wrth ymyl adeilad yr Antur ac wedi sylwi fod sloganau wedi eu peintio ar y ffenestri a'r waliau. Er i Carl Clowes ymweld â'r safle ni allai neb wneud dim tan y bore canlynol. Er i rif y car sef KBD 902F ddod i law ac i'r heddlu ddod o hyd i dun o baent a oedd yn gysylltiedig â'r difrod mewn iard yng nghefn tŷ yn yr ardal, ni fu erlyniad.

Oherwydd tarddiad y syniad am yr Antur a'r ysbrydoliaeth a gafwyd o Oilean Cléire, yn Awst 1975 trefnwyd taith i'r ynys ar gyfer pobl Llanaelhaearn a'r cylch, gyda'n pobl ni yn aros yn nhai yr ynyswyr. Gyda chroeso rhyfeddol a phrofiadau di-ri, cafwyd atgofion i'w trysori. Yn wir hon oedd y cyntaf o sawl antur cyffelyb gan i rai o drigolion Llanaelhaearn ymweld â Inis Mor, Aran yn 1977, ac i ynys Barra (un o ynysoedd Heledd) yn 1979.

Erbyn 1975, teimlai'r Senedd y dylai Steffan Rhys gael prentis er mwyn ehangu'r crochendy. Hysbysebwyd y swydd cyn gwyliau'r Pasg ond ychydig o wythnosau yn ddiweddarach rhoddodd Steffan Rhys rybudd ei fod yn rhoi gorau i'w swydd, ac ymhen ychydig symudodd ef a'i deulu o'r pentref.

Ar ôl cyfweld â'r ymgeiswyr penderfynwyd cynnig y swydd i Sioned Huws, merch ifanc yn hanu o Wynedd ond yn gweithio yng Nghaerdydd ar y pryd. Yn ffodus iawn, cynigiodd Pilling Pottery o swydd Gaerhirfryn hyfforddi Sioned. Dywedodd COSIRA (Cyngor dros Ddiwydiannau Bychain mewn Ardaloedd Gwledig) fod yna gwrs da yng Ngholeg Technegol Gwynedd ym Mangor ond yn anffodus, ar ôl cysylltu a'r Coleg, darganfyddwyd nad oedd cwrs ar grochenwaith yn cael ei gynnig yno, nac mewn sefydliad arall yng ngogledd Cymru.

Erbyn Awst 1975, roedd Shaw Munster Cyf. yn cyflogi deg o bobl ac roedd merch ifanc o'r ffatri yn Birmingham yn gyfrifol am hyfforddi. Yn anffodus, roedd y pellter o Birmingham i Lanaelhaearn yn creu problemau i gyfarwyddwyr Shaw Munster Cyf. ac ar ôl dim ond chwe mis yn y pentref, ymadawodd y cwmni. Roedd gan Antur Aelhaearn dros 700 o droedfeddi sgwâr yn awr yn ddigynnyrch.

Erbyn diwedd y flwyddyn honno penderfynwyd creu patrwm Celtaidd i'r cynnyrch gwau. Roedd y patrymau newydd yn llwyddiant. Roedd y cynnyrch yn seiliedig ar beiriannau cartref o hyd a sylwyd fod potensial yma. Penderfynodd y Senedd gyflogi staff llawn amser a symud i fewn i ystafell fechan yn y ganolfan. Hyfforddiant unwaith eto oedd y broblem, ond llwyddwyd i anfon Mrs Beti Huws i Lundain am hyfforddiant gyda chwmni Knitmaster. Yna fe fyddai hi, ynghŷd ag un arall, yn hyfforddi gweithwyr yr Antur yn wirfoddol. Symudodd y crochenwaith o garej Bryn Meddyg i ran arall y Ganolfan.

Y broblem nesaf oedd penderfynu beth i'w wneud gyda'r 700 o droedfeddi gwag. Ystyriwyd cael siop yn hen garafan yr Antur a gwnaed cais i'r perwyl hwnnw ac yn ddiweddarch i ddefnyddio hen stabal Llechdara fel siop, ond gwrthodwyd y ceisiadau. Yna edrychwyd ar addasu rhan o adeilad yr Antur ond gwrthodwyd y cais hwnnw hefyd oherwydd gwrthwynebiad gan yr Adran Ffyrdd a honai fod y lle parcio yn anaddas.

Yn 1975 roedd swyddogion o'r Gymuned Ewropeaidd wedi ymweld â'r Antur ac awgrymwyd y buasai'n cael cymorth ganddynt hwy o bosib. Ond er gwaethaf ymdrechion caled yr aelod seneddol lleol a swyddog datblygu economaidd Gwynedd, ddwy flynedd yn ddiweddarach roedd yr Antur yn dal i ddisgwyl am ateb.

Er hyn, gwnaethpwyd cais i gael cefnogaeth y Cynllun Creu Gwaith i ehangu ei gweithgarwch ac i benodi rheolwr busnes. O dan amodau'r Cynllun nid oedd gan ddiwydiant yr hawl i wneud elw, ond gan fod yr Antur wedi'i gofrestru fel Cymdeithas Gydweithredol Gyfeillgar, derbyniwyd y cais. Fe'i pasiwyd ym mis Rhagfyr 1976 ac Antur Aelhaearn oedd y mudiad cyntaf yng ngwledydd Prydain i gael cymorth o dan y cynllun hwn. Roedd y nawdd a dderbyniwyd o dan y cynllun yn werth £35,000 i'r ardal a rhoddwyd gwaith i hyd at un ar bymtheg ar y dechrau. Ehangwyd yr adran grochenwaith i bump o weithwyr, a'r adran wau i wyth a phenodwyd Eleri Higgins fel y rheolwr hollol bwysig.

Er hynny daeth y gwaith o farchnata'r crochenwaith yn fwy anodd i'r Antur ac roedd yn fwy anodd cystadlu yn erbyn cynhyrchwyr hunan-gyflogedig a oedd yn fodlon cynhyrchu yn eu oriau eu hunain ac am brisiau isel.

Newid rôl

Daeth diwedd ar grochenwaith yr Antur ar ddechrau'r wyth degau ac yna diwedd ar y gwaith gweu ar ddiwedd yr wyth degau. Daeth estyniad newydd i adeilad grwreiddiol yr Antur ac fe'i agorwyd ym mis Mawrth 1989 gyda nawdd rhaglen Ffyniant Cefn Gwlad yr Awdurdod Datblygu, ond golygai hefyd fenthyciad pellach gan y banc.

Wrth edrych yn ôl roedd hon yn risg fawr i'r Antur ar y pryd. Rhaid oedd bod yn ddarbodus ac nid oedd yno arian ar gael i fuddsoddi mewn prosiectau mawr newydd. Roedd hwn yn gyfnod eithaf distaw o'i gymharu a'r saith degau ar wyth degau cynnar ond rhaid nodi ei fod yn gyfnod pwysig lle sicrhawyd dyfodol yr Antur drwy gytundeb pwysig gyda Chyngor Gwynedd.

Once upon a time there was a village that nearly wasn't. Then a determined young doctor came to the rescue and gave it the kiss of life . . .

Lesley Garner tells the story of the revival of Llanaelhaearn

THE VILLAGE THAT SAVED ITSELF

Good Housekeeping, *Tachwedd 1976*

BUYING A RUSTIC SHARE

Once upon a time, it was the Parish Register that carried the village records; today you might have to look further. For now a village can turn itself into a limited company; paper stocks can replace wooden ones. Can business methods revitalise dying rural Britain?

By JOHN MOOREHEAD

Led more by conviction than ancestry to Llanaelhaiarn, Dr Carl Clowes (above) has become the village's saviour and business adviser. Local support for Antur Aelhaearn Ltd came first from the Steering Committee, below: from left to right, sitting; William Arthur Evans, Chairman, Dr Carl Clowes, Nurse Laura Tofarides; standing, Emrys Williams, the Rev. Goronwy Prys Owen, Miss Joan Jones and William Knights. Today they have been replaced by an Executive committee, voted in by shareholders

The village of Llanaelhaearn in North Wales is not exactly a landmark. It lies on the main road between Pwllheli and Caernarvon and you can drive through it in less than half a minute and find yourself out on the road the other side without knowing anyone lived there. The surrounding countryside is austere: flat stretches of land overshadowed by bare treeless hills. The nearest town, Pwllheli, is seven miles away, and most of the summer tourists stick to the resorts on the southern coast. Much of Llanaelhaiarn is set back

holding the inaugural meeting in the vestry of the Baptist chapel. The meeting took place in early February, and despite bad weather, nearly a third of the village turned up. Ten days later 400 shares had already been bought and £800 raised in loan stock, and subsequent meetings were to elect company officials and a board of management. Llanaelhaiarn was on its way.

Of course it had not happened overnight. If you ask in the village how it all began, everyone will tell you about the battle to save the village school. Four years ago the local education

Daily Telegraph, *Ebrill 1974*

New jobs must be directed to villages, conference is told

By CLIVE BETTS

THE GOVERNMENT'S policy o
trying to revive rural areas by con

Cynhadledd yr Antur yn denu pobl o bell i Fro'r Eifl

Label y gwaith gwau aeth mor bell â siopau Macy's yn Efrog Newydd

Rhiannon Ceiri yn cymryd ffansi at rai o'r cynhyrchion

Genod y pentref yn modelu dillad yr Antur – Mary Ellis, Bethan Jones, Rhian Evans, Bethan Huws, Delyth Hughes gyda Dorothy Clowes

Roedd y cyngor yn awyddus i ddefnyddio'r adeilad ar gyfer cynnal hyfforddiant i bobl ifanc yr ardal. Fe welwyd hyn fel newid rôl i'r Antur o fod yn gyflogwr pobl leol i fod yn ddarparwr adnodd hyfforddiant a fyddai yn ei dro yn creu cyflogaeth i bobl ifanc y pentref a'r ardal. Mae'r ganolfan fel ag y mae hi heddiw yn ganolfan ar gyfer hyfforddi pobl ifanc mewn sgiliau a fydd o gymorth iddynt gael gwaith yn y dyfodol – cyrsiau megis cyfrifadureg, gwaith coed a gwaith metel a chyrsiau sgiliau byw.

Nid wyf am roi'r argraff fod y cyfnod hwn wedi bod yn ddiwerth – i ddweud y gwir roedd sicrhau fod gan yr Antur adeilad ac adnoddau o safon y byddai pobl angen eu defnyddio yn sicrhau dyfodol yr Antur yn ariannol gan fod yr arian a gasglwyd yr adeg honno wedi'i ddefnyddio yn y blynyddoedd diweddar i fuddsoddi mewn prosiectau yn y pentref.

Blynyddoedd diweddar ac i'r dyfodol

Yn 2004 fe ddathlwyd pen-blwydd yr Antur yn dri deg mlwydd oed ac fe gynhaliwyd diwrnod agored yn adeilad yr Antur i ddathlu'r garreg filltir bwysig hon. Roedd yr Antur wedi gweld newid mawr yn ystod y 30 mlynedd ond trwy waith caled aelodau dros y blynyddoedd roedd wedi llwyddo i dorri cwysi newydd mewn prosiectau cymunedol, gwireddu nifer o'i amcanion ac roedd yr awydd i barhau gyda'r gwaith yn bodoli o hyd ymysg aelodau a chefnogwyr.

Gyda'r morgais wedi'i dalu ac arian yn y banc daeth awydd i fuddsoddi yn y pentref unwaith eto ac fe welwyd yr Antur yn cymryd rhan allweddol i ddenu grantiau a buddsoddi ym mywyd cymdeithasol, diwylliannol a diwydiannol y fro.

Llwyddwyd i ddenu grant sylweddol ar y cyd â phwyllgor y cae chwarae i adeiladu cae chwarae newydd i'r pentref. Llwyddwyd hefyd i ddenu grantiau i addasu'r festri a'i thrawsnewid yn neuadd bentref amlbwrpas. Fe ddefnyddir y neuadd gan yr ysgol, clwb 'Ti a Fi', Merched y Wawr , clwb gweu ac fe gynhaliwyd gweithgareddau i bobl ifanc y pentref yno. Yn ogystal, mae Eisteddfod Aelhaearn wedi cael cartref newydd cynnes a chysurus.

Defnyddiwyd adeilad yr Antur ar gyfer cyrsiau dysgu Cymraeg yn ystod gyda'r nos ac fe gynhaliwyd cyrsiau cyfrifadureg hynod o boblogaidd yno hefyd.

Yn ogystal â hyn, daeth cyfle i brynu adeilad Capel y Babell yn 2008 ac er ei fod ar y funud yn parhau i fod yn adeilad gwag, mae gan yr Antur a'r pentrefwyr gynlluniau cyffrous ar ei gyfer gan gynnwys addasu'r adeilad yn feithrinfa a chreu gofod ar gyfer swyddfeydd. Dyma gyfle arall i'r Antur greu cyflogaeth a gwneud y pentref yn lle deniadol i fyw ynddo.

Mae'r Antur wedi sicrhau cytundeb newydd ar gyfer yr adeilad gyda Choleg Menai ac, ar ôl pryderu fod ein cytundeb hirdymor gyda'r cyngor yn dod i ben, roedd hi'n braf cael clywed gan Coleg Menai eu bod yn awyddus i gadw eu darpariaeth o gyrsiau i bobl ifanc yn adeilad yr Antur.

Er hynny mae rhaid i fudiad fel yr Antur fod yn barod i addasu a chanfod ffynonellau eraill o arian er mwyn cynnal gwasanaethau yn y pentref. Yn ystod y flwyddyn ddiwethaf mae'r Antur wedi comisiynu astudiaeth ar y cyd gyda ffermwyr lleol er mwyn edrych ar y posibilrwydd o adeiladu tyrbin gwynt ar y Foel sydd uwchben y pentref. Y gobaith yw y bydd datblygu'r tyrbin gwynt yn darparu incwm blynyddol i'r pentref heb i ni fod yn ddibynnol ar gyrff eraill i'n cynnal.

Mae'n brosiect ehangach sydd yn cael ei alw'n Cynllun Pentref Gwyrdd Llanaelhaearn. Nod y cynllun yw datblygu Llanaelhaearn i fod yn bentref gwyrdd, hynny yw ein bod yn cymryd camau i leihau ein ôl troed carbon. Fel rhan o'r cynllun rydym eisioes wedi dechrau menter gydweithredol llysiau a ffrwythau yn y pentref a fydd yn cael ei redeg gan ddisgyblion yr ysgol gan roi cyfle i bobl y pentref brynu llysiau a ffrwythau gan gyflenwyr lleol am bris cystadleuol iawn.

Wrth symud ymlaen efo'r tyrbin, bydd cyfleon i fyfyrwyr yr Antur gymryd rhan yn yr astudiaethau sydd angen eu cwblhau ar gyfer unrhyw gais cynllunio ac wrth gwrs, bydd yn gyfle gwych i ddisgyblion yr ysgol gymryd rhan a dysgu am ynni adnewyddol.

Daeth cyfle hefyd i redeg siop y pentref sydd bellach wedi cau. Yn anffodus, er i'r Antur gynnig talu'r rhent am flwyddyn nid oedd neb am ei chymryd fel menter. Wedi dweud hynny, yn ystod y broses o ganfod siopwr yn y pentref daeth yn amlwg mai un o'r prif rwystrau a wynebai rhieni ifanc rhag mynd i weithio oedd y diffyg mewn gofal plant rhad a hawdd cael mynediad iddo. Yn hynny o beth, roedd ein methiant i ganfod siopwr yn cadarnhau yr hyn yr oedd y pentrefwyr wedi'i ddweud wrthym yn barod ynglŷn â'r angen i ddatblygu meithrinfa yn y capel.

Mae mesur llwyddiant yr Antur yn anodd iawn. Yn fy marn i, bu'r Antur fel menter yn arloesol yn ei amser ac yn weledigaeth wych o sut y byddai'n rhaid i gymunedau Cymru weithio'n galed i sicrhau eu dyfodol nid trwy gwyno dibendraw ond trwy gymryd camau positif i daclo'r heriau sydd yn eu gwynebu – heriau sydd yn parhau i fod yn bresennol yn Llanaelhaearn a phentrefi cyffelyb heddiw.

Mae diweithdra ymysg y pentrefwyr ifanc yn Llanaelhaearn yn dal yn rhy uchel ac felly mae'r sialens i gadw'n pobl ifanc o fewn ein cymunedau yn gymaint ag erioed. Byddai bywyd y pentref yn dipyn tlotach heb weithgaredd yr Antur yn ystod y 38 mlynedd ddiwethaf.

Rhaid wrth addasu a rhaid i'r gwaith caled barhau os yr ydym am sicrhau cymunedau cynaliadwy a byw am genedlaethau i ddod.

Agor Tŷ Rhuthun yn Nant Gwrtheyrn

AILADEILADU PENTREF A CHREU CANOLFAN IAITH
Nant Gwrtheyrn

gan Berwyn Evans

Mae hanes Nant Gwrtheyrn yn byrlymu o hanesion difyr, y llon a'r lleddf, sydd wedi hudo miloedd ohonom ni'r Cymry, ac eraill hefyd o ran hynny, i ymweld, rhyfeddu ac i ddarllen mwy am y lle hudolus hwn ar arfordir Llŷn. Mae yma hen, hen hanes, chwedloniaeth, stori garu Rhys a Meinir, chwarelwyr – hyd at 2,000 ohonynt – yn ceisio trechu'r graig i ennill bywoliaeth. Bu'r dadfeilio a ddigwyddodd i bentref cyfan wedi hynny, a'r ailegino drachefn, yn stori wyrthiol y deugain mlynedd diwethaf.

Canodd y ffôn un pnawn haf diwetha', 'Helo Ber,' meddai'r llais. Ia, Carl oedd ar ben arall y ffôn. Wedi'r cyfarchion arferol, gofynnodd a fuaswn i yn ysgrifennu am Nant Gwrtheyrn fel cyfraniad i lyfr ar fentrau cymunedol ym Mro'r Eifl. 'Y fi!' meddwn. 'Jiw, jiw, dwi erioed wedi ysgrifennu llyfr yn fy mywyd.' 'Wel,' meddai Carl, 'rwyt wedi bod yn ymwneud â'r Nant er y dyddiau cynnar, ac felly yn gwybod bron cymaint â neb sut aethom ati i sefydlu'r fenter. Fel un yn ymwneud ag adeiladu, roeddet yno bob cam o'r daith i ailgodi hen adfail o bentref yn Ganolfan Iaith Genedlaethol. Canolfan fyddai nid yn unig yn ateb y gofyn am ddysgu'r Gymraeg i oedolion, ond hefyd yn creu gwaith i drigolion hynod hoffus yn yr ardal yma o Ben Llŷn.'

Fedrwn i ddim gwrthod Carl, oherwydd cymaint fy mharch a'm hedmygedd at y dyn unigryw yma. Fo gafodd y weledigaeth gyntaf, y weledigaeth a fabwysiadwyd gan y gweddill ohonom wedi hynny. Y fo, yn anad neb arall sydd wedi bod yn gadarn ar hyd y daith, yn ddi-wyro ac yn fonheddig ar hyd y blynyddoedd. Carl a Dorothy a ddioddefodd fwyaf yn ystod y blynyddoedd anodd, ond er hynny maent wedi cadw'r ffydd. Heddiw, ddeugain mlynedd yn ddiweddarach, mae hen bentref Nant Gwrtheyrn wedi blaguro, a gellir yn hawdd ei restru fel 'wythfed rhyfeddod Cymru'.

Darn bach o'r jig-so mawr oeddwn i yn y stori hon, a

dyma ychydig o gefndir amdanaf. Rwy'n enedigol o Ddyffryn Clwyd, ond yn byw ym Mro Aled ers deugain mlynedd. Adeiladu ydi fy ngalwedigaeth a dof o linach o dair cenhedlaeth o seiri meini. Tua diwedd y saith degau, ffurfiais bartneriaeth gyda Dennis Jones, cyfrifydd busnes o Lwynhendy, ger Llanelli. Roedd Dennis wedi cael ei wahodd i'r gogledd gan gwmni adeiladu â'u pencadlys yng Nghaergwrle oherwydd ei dalentau cyfrifyddol a'i ben busnes. Sefydlwyd Cymrodyr Hiraethog, ac yn fuan roeddem yn codi stad fach o dai yn Llanrug, ac un arall yng Ngerddi Menai, Caernarfon. Roedd yn gwmni Cymraeg, gyda'r ddau ohonom yn ein ffordd fach ein hunain wedi ymgyrchu dros yr iaith, y Blaid a thros Gymreictod.

Yn ystod y cyfnod yna, drwy ei gysylltiad â chwmni Sain, cafodd Dennis wahoddiad gan Dafydd Iwan i ymweld â swyddfa'r criw bach oedd yn ceisio achub adfail o hen bentref chwarel. Cyrhaeddodd Llithfaen a gweld y 'cwt sinc', fu unwaith yn siop gigydd, wedyn yn feddygfa deulu i'r meddyg lleol. Dywedir bod yr argraff cyntaf yn ddylanwadol ac yn aros gyda chi – tybed beth oedd ymateb Dennis? Ymhen yr awr, wedi iddo gael cyfle i astudio'r llyfrau ariannol, sylweddolodd fod y sefyllfa ariannol yn fregus, os nad yn anobeithiol. Fel cyfrifydd, ni fedrai ond awgrymu mai'r unig beth synhwyrol i'w wneud oedd dirwyn y cyfan i ben.

Wedi dod cyn belled, dywedodd wrth Edryd y Cyfarwyddwr yr hoffai o leiaf fynd draw i weld yr adfeilion cyn troi am adref. Wrth gerdded i lawr y Gamffordd serth a throellog, gwelodd y lle mwyaf rhamantus yn ymddangos o'i flaen – pentref cyfan wedi'i blannu yn y llecyn prydferthaf a welodd erioed. Yn raddol, ciliodd ei resymeg cyfrifyddol a chyflymodd curiadau ei galon – cymaint felly nes perswadio ei hun fod yn rhaid i'r cynllun weithio. Os na wnaeth y 'cwt sinc' fawr o argraff arno, mi wnaeth y Nant ei feddiannu

Yr hen Gamffordd nad oedd yn bosib ei thaclo heb landrofar, a'r ffordd newydd sy'n galluogi bysys sylweddol i gyrraedd y Nant heddiw.

gorff ac ysbryd ac wedi hynny ymroddodd â'i holl egni a'i sgiliau a'i frwdfrydedd i achub y Nant ac i gyflawni gweledigaeth y Dr Carl Clowes.

'Ceffyl da yw ewyllys' medd yr hen air, a dyna yn wir y gyfrinach y tu ôl i lwyddiant y fenter anhygoel i lawr yn y Nnat. Yn fuan wedi ymweliad Dennis, daeth gwahoddiad gan Carl i'r ddau ohonom ddod yn ymddiriedolwyr, roedd yn awyddus i gael aelodau o'r diwydiant adeiladu o amgylch y bwrdd. Roeddwn innau a'm teulu wedi ymweld â'r pentref coll rywdro yng nghanol y chwe degau. I lawr y Gamffordd a chyrraedd y Nant ar ddiwrnod poeth o haf, y môr yn hudolus a'r awyr yn las, adar bach yn telori yn y cwm a'r geifr gwyllt yn sefyll eu tir, fel petaent yn ein herio i beidio ag aros yn hir yn eu tiriogaeth gysegredig nhw. Fel rhyw bwt o adeiladwr, roedd gweld y tai, y capel a'r plas yn eu cyflwr truenus, yn boenus i'r llygad. Ni feddyliais am eiliad y byddwn yn treulio rhan helaeth o'm bywyd yn ymwneud ag ailgodi'r lle.

I brocio'r cof, cefais oriau difyr gyda Carl, Allan Wynne,

Elspeth a Dennis yn ail-fyw y profiadau hynny. Rhaid sylweddoli fod hanes ymdrechion yr Ymddiriedolaeth i sefydlu Canolfan Iaith yn glamp o stori – stori na fyddaf i ond yn medru cyfeirio at ran fach ohoni. Gobeithiaf er hynny y cewch flas ar ei darllen ac y byddwch yn deall mwy am yr hwyl a'r helynt, y gwaith caled a'r llwyddiannau, rhai o'r trafferthion a rhai o'r pethau bythgofiadwy a ddigwyddodd.

Mae hen ddoethineb yn y dywediad 'gwnewch o'r ffordd iawn y tro cyntaf!' Ond fel un sydd wedi dechrau'i fusnes ei hun, wedi ymwneud â nifer fawr o ddatblygiadau cefn gwlad a threfol, medraf fentro dweud nad oes neb wedi gwneud dim byd arloesol yn iawn y tro cyntaf, na chwaith yr ail waith, na'r degfed waith. Mae mentro gydag unrhyw gynllun newydd a heriol yn golygu gwneud camgymeriadau ac aildrio, a hynny lawer gwaith. Felly ymgais fydd yma i rannu profiad, a chydnabod na chawsom ninnau mohoni yn iawn y tro cyntaf, na'r ail waith, ond serch hynny daliwyd ati a bydd ein profiad, gobeithio, yn rhoi rhywfaint o arweiniad i eraill sydd am fentro ar hyd llwybr tebyg.

George Bernad Shaw ddywedodd un tro, 'Dim ond ffŵl sy'n dysgu drwy brofiad; mae'r doeth yn dysgu drwy brofiadau pobl eraill'. Efallai fod ynddo wirionedd os oes eraill wedi llwyddo mewn maes cyffredin, ond yn ein hachos ni doedd neb arall erioed wedi ailgodi pentref cyfan o'i drwmgwsg dadfeiliedig. Roedd yn rhaid i ni fynd ati heb y fantais honno, ond dwi'n berffaith sicr na wnaiff neb ddim byd o werth heb ei mentro hi.

Roedd Carl a Dorothy wedi symud i Lanaelhaearn yn 1970 ac ymhen pythefnos wedi ymuno yn yr ymgyrch yn erbyn cau Ysgol Llanaelhaearn. Fel meddyg teulu, roedd Carl yn ymwybodol o effeithiau diffyg gwaith ar iechyd y trigolion. Gyda gwaith fferm yn cael ei fecaneiddio, roedd llai o gyflogi gweision. Bu cau chwareli'r ardal, lle'r oedd

Y pentref marw a'r adfywiad

2,000 yn gweithio yn strocan farwol i'r ardal wledig yma wrth droed yr Eifl – collwyd traean o'r boblogaeth. Roedd pobl yn gadael yr ardal, ac o ganlyniad roedd nifer y plant yn yr ysgol yn lleihau. Câi tai gweigion eu gwerthu yn dai haf.

Yn 1967 daeth adroddiad Syr David Hughes Parry yn cyflwyno Deddf Iaith, lle byddai'n rhaid i'r cyrff cyhoeddus gynnig gwasanaeth Cymraeg yn y gweithle. Er bod rhai cyrff

Carl Clowes gyda chefnogwyr yr Apêl

cyhoeddus wedi dechrau rhoi sylw i'r ddeddf, doedd dim modd iddynt gyflawni eu dyletswydd, oherwydd prinder llefydd addas i ddysgu eu staff i fod yn ddwyieithog. Gwyddai Carl na fedrai eistedd yn ôl gan obeithio y byddai rhywun arall yn achub y sefyllfa. Os oedd achubiaeth i fod, roedd yn rhaid torchi llewys ac ymlafnio i'r frwydr.

Wrth fod yn aelod o Gymdeithas Tai Gwynedd ar y pryd, daeth Carl i adnabod Brian Morgan Edwards a Dafydd Iwan, a bu'r ddau yn gefn mawr i'r freuddwyd, lle cynt roedd Carl a Dorothy yn bwyllgor o ddau. Gyda hyder Brian a chadernid Dafydd, eginodd yn griw bach cyntaf i geisio gwireddu dyhead y meddyg.

Roedd anferthedd y dasg yn aruthrol. Meddyliwch o ddifri, nid achub hen gapel, neu un adeilad oedd dan sylw, ond pentref cyfan, a'r pentref hwnnw wedi dadfeilio a golwg y fall arno gyda mieri yng nghanol y meini. Roedd yno bump ar hugain o dai cerrig a'u toeau llechi yn dyllau anferth, hen fecws a siop a chapel heb na ffenest na drws. Yna'r Plas, fel rhyw sgerbwd yn gartref i frain ac ysbrydion a'r lôn ato yr un mwyaf anaddas a serth yng Nghymru gyfan. Fyddech chi'n

'Awn i ailgodi'r to ...'

barod i fentro ar gynllun mor enfawr, a'r cyfan er mwyn creu gwaith yn lleol a chanolfan breswyl i ddysgu'r Gymraeg i oedolion? Gan wybod hefyd na fyddech yn cael yr un geiniog am eich llafur? Tybed pwy arall fyddai wedi rhoi talp mor fawr o'i oes i'r achos!

Mae'n bwysig ailbwysleisio nad oedd cynsail i'r fath

Y Plas, ddoe a heddiw

brosiect. Doedd neb y medrai'r criw bach cychwynnol droi atynt i ofyn am arweiniad. Doedd dim amdani ond dysgu wrth fynd ymlaen, ac wrth fynd ymlaen, gwahodd eraill y tybient fyddai'n medru cyfrannu egni, profiad a syniadau. Daeth yr unigolion hyn, yn ddynion a merched oedd yn weddol amlwg yn y Gymru gyfoes, o fyd addysg ac eraill o fyd busnes. Er nad wyf ond yn sôn am y cyfnod cynnar, bu nifer fawr iawn o unigolion yn helpu i ysgwyddo'r baich. Nid wyf yn siŵr ym mha drefn y bu iddynt ymuno â'r gwaith, ond mae'n diolch yn ddiffuant i rai fel Brian Morgan Edwards, y ddiweddar Gwenno Hywyn, Dafydd Iwan, Bob Jones Parry, Ioan Mai, y diweddar Gwyn Plas, Alun (Bow Street), Cennard, Phylis Ellis, y diweddar Dan Lyn James, Llinos Dafis, John Albert, Allan Wynne, Elspeth, Caren, Edward a Dennis. Dros y blynyddoedd collwyd rhai, ond enillwyd rhai eraill.

Y drafodaeth fawr yn y dyddiau cynnar oedd sut i godi digon o arian i brynu'r hen bentref. Yn dilyn sawl sgwrs gyda pherchnogion chwarel Porth y Nant, cafwyd ar ddeall y byddai'r pentref yn dod ar y farchnad am £35,000. Unwaith y cyhoeddwyd yr arwerthiant, bu tros gant o gwmnïau neu sefydliadau yn dangos gwir ddiddordeb, a phob un ohonynt yn hannu oddi allan i Gymru. Adfer troseddwyr o Fanceinion oedd bwriad un. Cwmni BP oedd un arall, oedd angen lle i danciau storio olew anferth, allan o olwg y cyhoedd. Nid hawdd fyddai cystadlu yn erbyn cwmnïau mor fawr, lle nad oedd prinder arian.

I dorri stori hir yn fyr, yr hyn oedd gan y Nant i'w gynnig oedd 'cydwybod' i'r perchnogion. Does gan gwmnïau chwareli ddim rhyw enw da, fel arfer, yn yr ardaloedd lle maent yn cloddio. Felly, o werthu i Ymddiriedolaeth y Nant, medrent ennill cydnabyddiaeth eu bod wedi gwneud rhywfaint o ddaioni yn Llŷn. Cytunwyd ar bris o £25,000 (a threfniant morgais i'r cwmni), a threfnwyd seremoni gyda ARC (*Amalgamated Roadstone Corporation*) y cyn-berchnogion. Heb yn wybod, cafwyd dipyn o syrpreis wrth dderbyn siec yn ôl am £5,000 ganddynt tuag at ddechrau ar y gwaith. Gellir gweld y llechen sy'n cofnodi'r gwerthiant ar wal y tu allan i Gapel Seilo hyd heddiw.

Roedd hwnnw'n ddiwrnod hanesyddol ac emosiynol iawn i bob un ohonom, ond yn arbennig felly i Carl, gan wybod fod yr hen bentref yn ddiogel yn ein dwylo o'r diwedd. Medrem yn awr ddechrau o ddifri ar y gwaith o gynllunio ac atgyweirio. Doedd dim bellach yn mynd i'n rhwystro rhag gwireddu ein dyheadau ni i gyd erbyn hyn.

Beth amser cyn y pryniant, anfonwyd at bob un aelod o Lys yr Eisteddfod, yn eu gwahodd i roi addewidion ariannol ar gyfer yr ailadeiladu. Roedd yn rhaid inni ddangos fod gennym ni'r cyllid i ddechrau ar y gwaith unwaith y byddai'r pentref yn ein meddiant. Does gen i fawr o gof faint o enwau oedd ar y rhestr honno, ond cafwyd addewidion am oddeutu £12,000 – swm eithaf sylweddol o gofio'r cyfnod. Ond er i'r gwaith fynd yn ei flaen, ni fu raid mynd ar ofyn yr addewidion hynny yn llawn.

Hyrwyddo'r Nant mewn sioe a steddfod yn y dyddiau cynnar

Yn nhŷ Dwyfor y cychwynnwyd ar y gwaith adfer. Oherwydd diffyg cyllid i gyflogi gweithwyr adeiladu, doedd dim amdani ond dechrau gyda gwirfoddolwyr. Does dim angen llawer o ddychymyg i sylweddoli nad oedd gobaith cwblhau un tŷ, heb sôn am bentref cyfan drwy ddibynnu ar lafur gwirfoddolwyr. Fel digwyddodd, roedd gan y Llywodraeth gynllun ar y pryd oedd yn cynnig cyfleon gwaith i'r rhai ar y dôl. Daeth Comisiwn Gwasanaeth y Gweithlu (*Manpower Services Commission*), fel mana o'r nefoedd inni. Golygai y medrem gael deg i ddeuddeg o hogiau lleol, di-waith i weithio bum niwrnod yr wythnos, gyda'r cynllun creu gwaith yn talu'r cyflog. Cawsom bob cymorth gan Elinor Tippler, rheolwraig swyddfa'r di-waith ym Mhwllheli am flynyddoedd. Coeliwch chi fi, os cewch chi ewyllys da unrhyw swyddog mewn awdurdod, mae'n bosib cyflawni cymaint mwy.

Wedi sôn am Edryd Gwyndaf (y rheolwr cyntaf) rhaid hefyd cyfeirio at Caren, yr ysgrifenyddes gyntaf. Roedd yn ferch alluog, newydd raddio o'r brifysgol, ac yn hyddysg mewn llaw fer. Drwy ei phenodi yn ysgrifenyddes, roedd

O'r adfeilion i'r adferiad

gwaith y swyddfa a phob gohebiaeth yn ddestlus a chywir. Os am lwyddo, rhaid oedd creu'r ddelwedd ein bod yn wir broffesiynol. Yn fuan iawn wedi cychwyn ar y cynlluniau gwaith, cyflogwyd Elspeth yn y swyddfa (y cwt sinc!) i wneud y cyflogau. Cynnig am chwe wythnos a gafodd i ddechrau arni, ond aeth y chwe wythnos yn chwe mlynedd a mwy o weithio caled – yn y swyddfa yn wreiddiol, wedyn

Y capel ar ôl ei ailadeiladu'r tro cyntaf, ac yna ar ôl ei ddatblgu'n Ganolfan Treftadaeth

i'r hen bost cyn symud i lawr yn y Nant i gael tŷ Dwyfor yn barod, yna'r gweddill o'r tai o un i un. Elspeth fyddai'n sgrwbio a thacluso, yn coginio, yn croesawu ac yn gwneud unrhyw beth arall os nad oedd yno neb arall i'w wneud. Ymddiriedolwraig ymarferol os bu un erioed, gan gofio hefyd iddi weithio oriau hir a chyfnodau'n ddi-gyflog.

Er mwyn codi arian a proffil y Nant, cysylltodd Edryd â

chwmni Craigmyle, gyda'r bwriad o gychwyn apêl broffesiynol. Ar wahân i'r enw, ni chofiaf fawr ddim am y cwmni ond iddynt greu cysylltiadau pwysig a chael rhai unigolion o bwys i ymddiddori yn y Nant. Rhestrwyd unigolion fel Richard Burton, Siân Philips, Charles Quant ac eraill ymysg ein cefnogwyr. Yng nghanol yr enwau roedd un enw yn sefyll allan, sef yr Arglwydd Davies, Llandinam. Bu ef gyda ni am sawl blwyddyn yn rhan o'r pwyllgor apêl, a fo hefyd dalodd i gwmni Robyn Léwis am eu gwaith cyfreithiol. Wedi talu Craigmyle am eu gwasanaeth, nid oedd y gweddill yr arian a godwyd yn fawr o swm a dweud y gwir. Roedd cydweithio â nhw yn dipyn o draul ar amser y staff, ac o edrych yn ôl, gwelsom fod ffyrdd gwell o godi arian. Dyma pryd y daeth 'Cyfeillion y Nant' i'r adwy, a bu'n llwyddiannus iawn.

Wrth sôn am arian, rhaid cyfeirio eto at haelioni Carl a Dorothy. Prynodd y ddau dŷ yn Ninorwig, sef ardal magwraeth Carl yn ei arddegau. Roedd yn dŷ rhesymol ei bris – aed ati i'w atgyweirio ac ymhen ychydig o flynyddoedd ei werthu, a chyflwynodd y ddau y £12,000 o elw yn rhodd i'r Nant. Gyda'r arian hwn, prynwyd nwyddau i'r hogiau 'creu gwaith' i ddechrau ar dŷ Dwyfor.

Yn fuan wedi hynny, gwnaeth Cyngor Dosbarth Dwyfor gyfraniad anrhydeddus tuag at y gwaith, ac yn naturiol penderfynwyd defnyddio'r arian hwnnw ar dŷ Dwyfor. Clustnodwyd cyfraniad Carl a Dorothy wedyn i dŷ Aelhaearn. Ar sail cyfraniad Cyngor Dwyfor, datblygwyd y syniad i gael noddwyr eraill o'r sector gyhoeddus a phreifat. Oherwydd y cynllun creu gwaith, doedd ond angen codi arian ar gyfer nwyddau ac i dalu am waith y trydanwr a'r plymiwr. Unwaith eto heb fynd i ormod o fanylion, cafwyd noddwyr ar gyfer pob un o dai Trem y Mynydd a Threm y Môr ac enwyd y tai yn ôl y noddwyr.

Ymysg y rhai cyntaf i ddilyn Cyngor Dwyfor oedd criw o ddysgwyr Rhuthun. Dan arweiniad Dennis a Gareth, gyda syniadau'n byrlymu, daethant o hyd i bob math o ffyrdd i godi arian. Cafwyd un cynnig gan Ariel Thomas, oedd ar y pryd yn uwch-swyddog gyda MANWEB. Yn dilyn gwaith o dynnu lawr prif linell drydan dros fawnog mynydd uwchben Llanberis, awgrymodd Ariel Thomas fod yma gyfle i wneud arian at achos da. Yno ar y mynydd roedd nifer fawr o ddarnau gwifrau copr yn gorwedd yng nghanol y grug, ac roedd iddynt werth sgrap eithaf sylweddol. Gwyddai nad oedd yn economaidd i MANWEB anfon eu dynion yno, ond os hoffai criw gwirfoddol eu casglu a'u gwerthu fel sgrap, mi fyddai'n cael caniatâd MANWEB i wneud hynny. Aeth criw mawr o hogiau cryfion Rhuthun yno am ddiwrnod a chasglu pob owns o'r copr. Cawsant oddeutu £800 am eu casglu a llawer o hwyl a direidi. Pob un, meddai Dennis, wedi llwyr ymlâdd wrth lusgo adref wedi diwrnod da o waith.

Ymgyrch fawr arall oedd un Merched y Wawr i fabwysiadu tŷ, a bu casglu diwyd drwy holl ganghennau'r mudiad. *Y Faner* oedd un arall o'r noddwyr, ac roedd yn braf gweld adroddiad yn nodi faint a gasglwyd o wythnos i wythnos yn y papur hwnnw. Nid oes ofod yma i enwi gweddill y criwiau fu wrthi'r un mor ddyfal. Yng nghyfnod y

Yr hen Gaffi Meinir wedi'i ddiweddaru a'i ymestyn i fod yn addas ar gyfer cynadleddau, cyngherddau a phriodasau bellach

twf dechreuol yma, fel sydd o hyd, roedd ewyllys da i'w ddarganfod ym mhob cwr o Gymru a thu hwnt.

Roedd casgliad amrywiol o unigolion ymysg yr Ymddiriedolwyr – unigolion galluog, pobl y byddai eraill â pharch mawr iddynt. Roedd rhai yn arbenigwyr ym myd addysg, eraill o fyd busnes a chyllid, amryw yn arweinyddion yn eu gwahanol feysydd. Gyda'r holl dalent o amgylch y bwrdd, byddem yn cael cyfarfodydd arbennig o ddiddorol, er ein bod hefyd yn gorfod creu sawl cynllun busnes a llif arian wrth fynd rhagom, a pharatoi nifer fawr o adroddiadau i'r banc a chyrff eraill i sicrhau cyllid digonol.

Yn y cyfnod cynnar hefyd, bu llawer o hwyl a thynnu coes, er gwaethaf y ffaith na wyddem weithiau o ble y caem arian i brynu ychydig o fagiau sment. Wedi cael y caffi ar ei draed, gwelai Elspeth bob ymwelydd fel tair punt ar ddwy goes. Gadewch i mi egluro. Wedi ailgodi gweddillion yr hen sgubor i greu Caffi Meinir, byddai Elspeth ac eraill yno yn gwerthu paneidiau o de neu goffi, brechdan neu ddwy, a chacen am dair punt. Roedd pob tair punt yr amser honno yn prynu dau fag o sment. Er ei bod yn ddyddiau caled, roedd yno dynnu-coes, chwerthin a phawb yn rhan o'r hwyl iach wrth weithio'n galed a gweld yr hen bentref yn deffro drachefn.

Elspeth a welodd y potensial o ailgodi'r hen feudy a'r cwt mochyn yn gaffi, fel y medrem wneud ychydig o arian yn gwerthu prydau ysgafn. Cofiaf ei weld a hanner uchaf y waliau gwenithfaen yn bentyrau blêr ar lawr ym mhob man. Er fod y cynllun creu gwaith wedi dechrau, doedd dim saer maen yn eu plith. Penderfynwyd nad oedd dim amdani ond i mi dreulio wythnos gyfan i lawr yn y pentre, a dod â'r taclau trin cerrig gyda mi. Byddwn yn dechrau gweithio ar doriad gwawr ac wrthi tan fachlud haul. Gydag un o'r hogiau yn cymysgu mortar ac Elspeth yn fy mwydo, gorffennais y gwaith i Gwilym y saer ei goedio a'i orchuddio â tho sinc.

Safon llofftydd a cheginau tai'r Nant erbyn hyn

Pwyntiwyd y waliau, gosodwyd sinc a chypyrddau ail-law o rhywle, benthycwyd byrddau a chadeiriau o'r hen siop chips gan John y Glo, a dyna chi – y 'Caffi Meinir' cyntaf i estyn croeso i Gymru, Lloegr a Llanrwst.

Bu Caffi Meinir yn rhan bwysig o ddatblygu'r Nant, er mai bychan oedd o ar y dechrau, roedd yma fodd i wneud ceiniog neu ddwy i'r Nant. Yn ogystal ag Elspeth, oedd ar y

Agor Tŷ Caerffili

dechrau yn gwneud pob math o ddyletswyddau, cawsom eraill i weithio a bod yn gyfrifol am y caffi. Os cofiaf yn iawn, Osian Elis – mab Gwyn a Jessie – oedd y cyntaf i ddilyn Elspeth; wedyn Val, oedd eto yn un i'w chanmol am ei choginio. Heb fod yn sicr o'r drefn, daeth Bethan yno yn hogan ifanc, sef yr un Bethan sydd yn rheolwraig ar y caffi mawr heddiw. Erbyn hyn mae cyfrifoldebau Bethan yn cynnwys cymoni'r tai yn ogystal â bod yn brif gogydd. Eto, rhaid canmol Bethan a'i staff am eu gwaith caled diflino ac am baratoi bwydydd blasus ac o safon.

Yn y dyddiau cynnar, un arall oedd yn rhedeg yma ac acw yn gwneud pob math o swyddi, oedd hogyn o'r enw Huwsor. Unrhyw beth angen ei wneud, 'Lle mae Huwsor,' oedd y cwestiwn cyntaf pob amser. Tua'r un pryd bu

Agor Nant y Ffynnon yn y Nant

Bethan, Cefn Gwynus, yn ysgrifenyddes a phob amser yn gwenu ac yn llawn bywyd. Trist iawn oedd colli Bethan lawer iawn o flaen ei hamser. Mae llu o rai eraill wedi'u dilyn yn y swyddfa ar ôl hynny

Atgof bythgofiadwy arall yw hanes y landrofer. Yn gyntaf efallai dylwn gofnodi mai dim ond landrofer 'byr' (*short wheel*) fedrai ddringo'r Gamffordd serth a throi'r corneli garw yr un pryd. Un bore wrth gario'r dynion i lawr at eu gwaith, towlwyd y Landrofer ar ei hochr, a hynny ar ganol y Gamffordd. Rhedodd Gwilym y fforman yn ôl i'r swyddfa â'i wynt yn ei ddwrn i ddweud wrth Elspeth am yr anffawd. Wedi cael cryn fraw, gofynnodd Elspeth oedd pawb yn ddianaf, 'Ydyn,' meddai Gwilym, 'ond un.' 'A lle mae hwnnw?' 'O, mae ar wastad ei gefn yn meddwl ei fod wedi marw.' Er y medrai'r sefyllfa fod yn un ddifrifol, rhaid oedd chwerthin at hiwmor yr hogiau.

Fy nghyfraniad pennaf i'r Ymddiriedolaeth oedd goruchwylio a threfnu'r gwaith adeiladu gyda'r criw creu gwaith. Oherwydd ein bod fel Cymrodyr Hiraethog yn codi tai yng Nghaernarfon, medrwn ymweld â'r Nant yn wythnosol, ddwywaith os oedd angen. Dros y cyfnod hwnnw, cerddais lawr a fyny'r hen Gamffordd gannoedd o weithiau – mae'n rhaid fy mod dipyn mwy heini bryd hynny! Er nad oedd pob un o'r gweithwyr yn grefftwyr cydnabyddiedig, fe wnaed gwaith da a barodd am rhyw ugain mlynedd cyn bod angen ei uwchraddio. Os bydd rhai o'r gweithwyr hynny yn darllen y pwt yma o hanes, diolch hogiau.

Wrth sôn am y Gamffordd, dyma'r lle i'n hatgoffa ein hunain mai'r Comisiwn Coedwigaeth oedd berchen y 70 erw o dir lle mae'r goedwig fythwyrdd heddiw. Mae Carl ac Allan yn cofio cael gwahoddiad i Aberystwyth i drafod gwerthiant y tir. Wedi diolch am alw'r cyfarfod, dwedwyd ar yr un gwynt nad oedd gan yr Ymddiriedolaeth y modd i brynu'r tir, er wrth reswm yr hoffent wneud hynny. Arhoswch ennyd, meddent, dydach chi ddim yn gwybod beth yw'r pris rydym yn ei ofyn amdano. Wel, sut byddai £35 yr erw yn eich trawo. Wedi iddynt lyncu'u poer, atebodd y ddau 'run pryd, 'Mae hynny yn dderbyniol iawn!' Gwnaed y trefniadau angenrheidiol gyda Hywel Roberts yn y banc yn ymestyn y benthyciad a chael siec am £2,500 i dalu am y tir. Nid yn unig hynny, cynigiodd y Comisiwn y byddent yn barod hefyd i wneud cynlluniau ar gyfer torri ffordd newydd i lawr i'r Nant.

Gyda chymaint o hanesion i'w dweud, a gofod yn y llyfr yn brin, ni allaf ond dewis rhai digwyddiadau a rhoi braslun yn unig o'r hanes. Pan oeddem yn ceisio dod â thrydan i lawr i'r Nant, wrth drafod ag Ariel Thomas, daeth yn amlwg fod y llethrau yno yn llawer rhy serth i weithwyr MANWEB ymgymryd â'r gwaith. Y broblem fyddai tyllu, cario'r pyst at y tyllau, eu gosod yn gadarn, a hynny yng nghanol coed a chreigiau serth. Unwaith eto daeth Ariel Thomos â gwaredigaeth. Awgrymodd i ni gysylltu ag un adran o'r

Cael cymorth hofrennydd o'r Fali i gario nwyddau i ailadeiladu Caffi Meinir (lluniau: Dan, Llithfaen)

fyddin oedd ag arbenigedd peirianyddol. Dwi'n cofio cwrdd i lawr yn y Nant gyda thri milwr, ac wrth archwilio'r llwybr i'r lein, methais gadw i fyny â'r sarjant, oedd tros ddwylath o daldra, yn fain fel trosol chwarelwr ac yn camu i fyny'r gamffordd fel teigar mynydd. Gweithiodd y cynllun a dyna ddod â thrydan i lawr i Nant Gwrtheyrn.

Gyda dŵr yfed, roedd cronfa ddŵr yno er dyddiau'r

chwareli – wedi'i hadeiladu rhyw dri chan llath i fyny o'r pentref. Bu'n rhaid ei thrwsio a rhoi caead o goncrid drosti a mân waith arall gan osod peipen newydd lawr at y tai.

Mae'n debyg y byddai yn bur wahanol heddiw, ond cawsom ni'r banc yn gefnogol iawn a dweud y gwir ar hyd y daith. Wrth reswm, roeddent yn ofalus wrth ymestyn unrhyw orddrafft, gan ein bod yn gofyn am hynny yn weddol aml. Yn y cyfnod hwnnw, roedd y banciau yn benthyg arian nid yn unig ar sail y brics a'r mortar a gwerth cynyddol y pentref, ond hefyd ar sail y dalent oedd o amgylch y bwrdd. Rhaid cyfeirio at Emrys Evans, cyfarwyddwr Banc y Midland dros Gymru, am ei gefnogaeth a hefyd Hywel Roberts, ein rheolwr rhanbarthol yma yn y gogledd. Mi wn fy mod wedi symleiddio'r holl broses o baratoi adroddiadau, llif-arian a rhagdybiaethau, ond mae hynny yn digwydd gyda phob cynllun. Oherwydd maint ein prosiect, roedd y trafodaethau yn llawer mwy dyrys efallai na chyda phrosiectau arferol. Sut bynnag, mae ein diolch yn fawr iddynt.

Yn ystod y cyfnod hwnnw cawsom ymweliadau gan ymwelwyr arbennig iawn – Gweinidog y *Gaeltacht* (y broydd Gweddeleg) o Iwerddon, y Tad Mullins a hefyd y Tywysog Siarl, i enwi dim ond tri. Y cwt sinc oedd ein swyddfa pan ddaeth Gweinidog y *Gaeltacht* i dalu ymweliad â ni yng nghwmni Wyn Roberts A.S. o'r Swyddfa Gymreig. Dychmygwch y ddau yn cyrraedd mewn Limousine yr un, ac un ohonynt yn hirach na'r swyddfa sinc. Mae Carl yn cofio tywys y ddau, ynghyd â'u dilynwyr wrth reswm, i fyny'r grisiau concrid a diflannu mewn i'r cwt, ac yno yn cael croeso cynnes Llŷn gan Elspeth a Caren. Wrth sefyll o amgylch y bwrdd, prin fod lle i godi'u cwpan, ond mi wnaed argraff. Roedden nhw'n rhyfeddu mae'n siŵr fod hen siop gigydd, ddaeth wedyn yn feddygfa, yn HQ i gynllun mor fawr. Wedi'r baned a'r gacen gri, aed ymlaen i ymweld â'r

Dosbarthiadau'r Dysgwyr yw hanfod y Nant o hyd

Nant, gyda'r diweddar Ioan Mai yn tynnu lluniau i'r papur lleol.

Dod yno gyda chriw o Babyddion oedd am ddysgu'r iaith

ar gyfer eu gwasanaethu wnaeth y Tad Mullins. Yn annisgwyl efallai, cafwyd hwyl, gwydryn bach o win a chwerthin iach, sydd rhan amlaf yn nodweddiadol o'r Gwyddelod. Rhaid eu canmol am eu dawn i chwerthin am ben eu hunain, yn wahanol iawn i rai ohonom ni'r Cymry.

A do, cawsom ymweliad gan y Tywysog Siarl. Ar un adeg, bu cryn drafod a oeddem am wneud cais am arian i Ymddiriedolaeth y Tywysog. Dwi'n cofio Allan Wynne yn ein rhybuddio pe byddem yn llwyddiannus, y deuai'r dydd y byddai 'o' am ddod draw i weld y Nant. Cawn wynebu hynny os digwydd, meddai'r mwyafrif. A dyna fu, ond ymhen y flwyddyn cafwyd gair ei fod am ddod i ymweld â'r Nant. Roedd gan bob un ohonom esgus go dda na fedrem fod yn bresennol, felly dim ond Allan Wynne y Cadeirydd ac Elspeth oedd yno i'w dderbyn.

Yn ystod y bore, cyn iddo lanio yn ei hofrennydd, roedd y lle yn frith o blismyn yn archwilio pob twll a chornel. Tra oeddent yn archwilio un tŷ yn drwyadl cyn iddo gamu mewn, clywodd Elspeth y ci yn brysur yn mynd o un gwely i'r llall, gan amau beth ar wyneb y ddaear oedd yn digwydd yn y llofftydd. Dyma ceidwad y ci yn holi Elspeth, pwy oedd yn golchi'r dillad gwlâu? 'Wel mi ddyweda' i beth sydd yn digwydd,' meddai. 'Bydd y dillad yn cael eu rhannu ymysg y genod glanhau, sef Meri, Betty, Megan a finnau o ran hynny, a byddwn yn mynd â nhw adref i'w golchi.' Dyna felly beth oedd y ci yn ogleuo, sef y gwahanol bowdwr golchi a ddefnyddid gan y merched.

I fynd yn ôl at y cwt sinc – daethom yn ymwybodol ei fod yn anaddas iawn fel swyddfa i Ymddiriedolaeth oedd yn tyfu. Mae Elspeth yn cofio crafu rhew oddi ar y ddesg sawl gwaith cyn medrai fynd ymlaen â gwaith y swyddfa. Yn y gaeaf, roedd yn oer iawn a'r unig wres 'canolog' oedd tân bach trydan, unllygeidiog ar ganol y llawr, gyda phawb yn ceisio closio mor agos â phosib ato er mwyn cael rhyw fesur o gynhesrwydd. Sut bynnag, tua'r cyfnod hwnnw, roedd hen siop y gornel (er iddi beidio â bod yn siop ers llawer blwyddyn) ar groesffordd Llithfaen ar werth.

Mae Dennis yn cofio cael galwad ffôn un diwrnod gan y diweddar Gilmor Griffiths, pennaeth adran cerdd Ysgol Gymraeg Glan Clwyd, Llanelwy, a oedd yn enedigol o Lithfaen. Dywedodd Gilmor fod hen 'siop y gornel' ar werth, ac y dylai'r Ymddiriedolaeth ystyried ei phrynu. Doedd Gilmor, mae'n siŵr, ddim am weld tŷ haf arall yng nghanol y pentref. O fewn yr wythnos roedd Dennis wedi cysylltu â phob un o'r Ymddiriedolwyr, a chael rhoddion oedd yn ein galluogi i'w phrynu. Dyna enghraifft arall o ymroddiad yr Ymddiriedolwyr.

Ar ôl Edryd Gwyndaf, daeth Gwyn Williams yn rheolwr, wedyn Dylan Morgan a Meic Raymant yn ei ddilyn yntau. Gwnaeth y pedwar ddiwrnod da o waith yn eu gwahanol ffyrdd, ac mae'n sicr byddent hwythau â llawer o atgofion difyr am fwrlwm y cyfnod cynnar. Arhosodd Meic efo ni am un mlynedd ar ddeg fel Prif Diwtor ac yn y cyfnod hwn daeth Osian Wyn Jones yno fel Trefnydd, oedd efallai â mwy o brofiad o ochr busnes a threfnu digwyddiadau.

Yng nghyfnod Osian gwnaed y ffordd newydd i'r Nant – trefnodd daith gerdded noddedig wrth agor darn o'r A55. Hefyd, yn yr un cyfnod bu'r estyniad cyntaf i Gaffi Meinir. Trefnodd i'r Awyrlu hedfan y trawstiau to i lawr o ben y Nant gyda hofrennydd. Ar yr achlysur hwn, fel gyda rhai eraill, profwyd llawer o ewyllys da tuag at yr ailadeiladu. Does dim amheuaeth fod y cynllun o adfer hen bentref Porth y Nant wedi cydio yn nychymyg y genedl gyfan, ymysg y Cymry Cymraeg a'r di-Gymraeg.

Yn 1985, dwi'n cofio'r Brodyr Hogan o Fangor yn cytuno i hedfan Sulwyn Thomas – yn ddi-gost – o Gastell Rhuddlan i faes yr Eisteddfod Genedlaethol yn y Rhyl. Roedd angen cyhoeddusrwydd i lansio apêl 'Milltir o Geiniogau', gyda'r syniad y byddai digon o geiniogau o'u gosod ochr yn ochr ar hyd y ffordd newydd, o'r top i'r gwaelod yn talu amdani.

Y pentref – adnodd gwerthfawr i'r Nant, yr ardal a Chymru gyfan

Gyda Gwyn Llewelyn yn ei gynnwys ar un o'i raglenni ar S4C, cafwyd gryn sylw ar y cyfryngau. Ni chofiaf i ni wneud cymaint a chymaint o arian, ond pan mae arian yn brin, mae pob ceiniog yn help.

Cwmni'r Brodyr Jones o Rhuthun a gafodd y cytundeb i dorri'r ffordd newydd. Cofiaf yn dda, er i ni osod rhybuddion a weiar bigog ar bob giât ac unrhyw fan arall y gellid camu trosto, bod rhai wedi llwyr anwybyddu'r rhybuddion. Byddai Bryn Roberts, sef dreifar y bwldosar anferth, yn gweld cip ar ddilladau lliwgar yn cerdded ar y lôn isaf, ac yntau yn rhyddhau clampiau o gerrig mawr, ac amryw yn rowlio lawr yr ochr serth. O drugaredd, nid anafwyd neb, ond rhoddwyd straen ar ddreifar y peiriant!

Rhaid crybwyll sut y bu i ni brynu Plas Pistyll, a'r cyfnod

o ddadrithio a ddilynodd o ganlyniad i hynny. Wrth sgwrsio gyda phobl leol, dywedwyd wrth nifer o'r Ymddiriedolwyr oedd yn ymwneud mwy gyda'r ardal, 'Beth am i chi brynu Plas Pistyll? Ylwch,' meddent, 'mae'r holl egni rydych yn ei roi mewn i ddatblygu Canolfan Iaith yn glodwiw, ond fydd o fawr o werth i ni, Gymry Cymraeg yr ardal yma. Beth am brynu'r Plas?' Bu llawer o drafod ac ymweld â'r lle, ac yn ystod y trafodaethau roedd Allan Wynne, â'i brofiad helaeth ym myd twristiaeth, yn gweld fod cyfle gwych, nid yn unig i'w gael yn ôl fel gwesty, ond hefyd i greu canolfan hyfforddi arlwyo drwy gyfrwng y Gymraeg. Roedd y pris gofyn, o ystyried ei faint, ei leoliad mewn ardal hardd yng ngolwg y môr a'i botensial yn rhesymol iawn. Mae'n wir dweud hefyd fod pennaeth y Bwrdd Croeso ar y pryd yn frwd iawn o'i blaid ac roedd y gefnogaeth honno yn dylanwadu arnom.

Felly gyda'r Bwrdd Croeso a'r cyrff datblygu economaidd yn ein hannog i ymwneud mwy i gynorthwyo economi'r ardal yn Llŷn, cytunodd yr Ymddiriedolaeth o'i blaid. Er hynny, ac er mor angenrheidiol oedd y syniad i'r ardal, ni ddigwyddodd y datblygiad – mae honno'n stori gymhleth a bydd yn rhaid disgwyl am gyfrol arall i adrodd honno!

Wrth gau pen y mwdwl ar hyn o hanes, hoffwn gyfeirio at rai gwersi eraill efallai sy'n werth i'r darllenydd fyfyrio trostynt. Rhaid cofio yn y lle cyntaf bod prosiect Nant Gwrtheyrn yn anghenfil o gynllun, yn gynllun oedd yn gofyn am hyder personol, gweledigaeth a dycnwch i ddal ymlaen. Ni fyddai Nant Gwrtheyrn wedi'i ailgodi heb fod Carl wedi gweld y potensial yn y sgerbwd o bentref oedd i lawr ym Mhorth y Nant. Cymaint fu ei ymroddiad tros greu gwaith a chreu Canolfan Iaith, nes bod eraill ohonom wedi dod i rannu'r un brwdfrydedd dros yr hyn oedd am ei gyflawni. Mae gwir frwdfrydedd yn heintus.

Dywedais ar y dechrau, na wneir unrhyw beth y ffordd

iawn ar y tro cyntaf. Yn sicr, doedd ganddom ni'r Ymddiriedolwyr ddim byd tebyg oedd wedi digwydd yn unlle arall i'w gymharu ag o, nac i ddysgu ohono ar sail profiadau eraill. Fel Ymddiriedolwyr, roeddem i gyd â gwahanol dalentau ac nid yw'n hawdd bob tro i gael pawb yn rhwyfo i'r un cyfeiriad. Llwyddwyd yn rhyfeddol ar hyd y daith tan gyfnod Plas Pistyll, a bellach gyda hanes hwnnw yn y gorffennol, mae'r Ymddiriedolwyr – rhai newydd a rhai o'r hen griw, yn cydweithio yn arbennig o dda. Mae cael Jim O'Rourke a'i feistrolaeth weinyddol, ei ddawn i reoli ac i ennill grantiau, nid yn unig wedi dod â'r adeiladau i'r unfed ganrif ar hugain, a chreu gwaith i bron ddeg ar hugain o bobl leol, ond mae wedi golygu bod ysbryd y Nant yn byrlymu unwaith eto.

Dros y blynyddoedd, mae rhywun yn sylweddoli bod gwahaniaeth barn yn sicr o godi, er enghraifft rhwng rhai a ddaw o gefndir y sector gyhoeddus, ac eraill ohonom o'r sector breifat. Yn y sector gyhoeddus, does dim angen poeni yn ormodol o ble y daw'r arian. Nid bod arian yn llifo, ond bob blwyddyn mae cyllideb i weithio oddi mewn iddi. Mewn busnes, mae'n rhaid meddwl sut mae cael cynnyrch neu wasanaeth fydd y cwsmeriaid eisiau eu prynu. Heb gwsmeriaid, does dim posib gwneud elw, a heb elw, does dim busnes.

Oherwydd bod Nant Gwrtheyrn, fwy neu lai yn y sector breifat, nid yn unig roedd yn ofynol ymchwilio yn galed am grantiau i ailadeiladu'r pentref, ond roedd yn rhaid cadw golwg barcud ar sut y byddem yn cynnal Canolfan Iaith. Yn wahanol i unrhyw ysgol neu brifysgol sy'n cael ei ariannu gan y sector gyhoeddus, nid felly mae hi gyda ni yn Nant Gwrtheyrn.

Nid wyf yn gymwys i drafod ochr y cyrsiau, nac ychwaith sut aed ati i godi'r cyllid ar gyfer cyflogi tiwtoriaid ac yn y blaen. Ond o ochr busnes, mae gen i ychydig o brofiad, a heb fynd i roi pregeth, hoffwn ddyfynnu dywediad sy'n crisialu llawer am unrhyw fusnes, 'Mae bod mewn busnes fel cerdded fyny escaletor sy'n dod lawr: unwaith y sefwch yn llonydd, mi ewch tuag yn ôl'. Rhaid bod yn greadigol, rhaid bod â chynnyrch mae eich cwsmeriaid ei eisiau, ac ar ben hynny, mae'n rhaid i'ch prisiau fod yn adlewyrchiad teg o'ch cynnyrch neu wasanaeth, ond hefyd yn gystadleuol. Ac wrth gwrs, mae'n rhaid cael digon o gwsmeriaid i gynnal y busnes.

Er i Nant Gwrtheyrn gymryd talp mawr o fywyd pob Ymddiriedolwr a'u teuluoedd, ni fuasai yr un ohonom wedi dymuno colli'r profiad o fod yn rhan o brosiect mor arloesol. Yn fy achos i, cefais y fraint hefyd o fod yn rhan o'r ailatgyweirio sydd newydd orffen dan arweiniad Jim O'Rourke. Mae'r lle heddiw yn fwy o ryfeddod nac a fu, ac mae hynny yn dweud llawer.

Fy nghenadwri olaf fyddai hyn: os byddwch yn ymwneud ag unrhyw brosiectau gwirfoddol, dewiswch rai sy'n agos at eich calon i gydweithio efo chi. Byddwch wedyn â'r egni a'r brwdfrydedd i barhau ymlaen i'r diwedd, ac i dderbyn y bydd gwahaniaeth barn, y bydd anghytuno, ond hefyd y bydd yna gyfaddawdu a dod i gytundeb, a bod y wobr o gyflawni breuddwyd yn un gwerth ei chael. Mi allwch, wrth gwrs, benderfynu gwneud dim – ond bydd eich bywyd yn llawer tlotach, ac nid sôn am arian ydw i wrth ddweud hynny.

O.N. Does dim gofod yma imi enwi pawb fu'n weithgar ar y prosiect enfawr yma. Rwyf wedi ceisio crynhoi y gwaith o ailadeiladu, ac nid ymdrin ag ymdrechion clodwiw yr ymddiriedolwyr eraill, oedd yr un mor brysur yn creu Canolfan Iaith. Nid yw'r ychydig atgofion sydd gen i yn gwneud cyfiawnhad â gwireddu breuddwyd Carl a Dorothy. Felly hoffwn wneud apêl at unrhyw un fu'n ymwneud ag unrhyw agwedd o brosiect y Nant, i anfon eich atgofion i swyddfa'r Nant, a'i nodi i sylw Catherine, ein swyddog treftadaeth. Mae'n bwysig casglu cymaint ag sy'n bosib o'r atgofion sy'n ymwneud â hanes mor arloesol. Gallwch anfon eich atgofion drwy lawysgrifen a'i bostio i Ganolfan Iaith Nant Gwrtheyrn, Llithfaen, Pwllheli, Gwynedd, LL53 6NL neu ebostio: catherine@nantgwrtheyrn.org

Tafarn y Fic
Llithfaen

gan Bwyllgor y Fic

Codwyd Tafarn y Fic yn 1867, a thafarn yn gwasanaethu'r gymdeithas chwarelyddol yn Llithfaen a Nant Gwrtheyrn oedd hi o'r cychwyn cyntaf. Mi wyddom mai cwmni bragu Burton Brewery Cyf oedd perchennog yr adeilad erbyn 1892 ac mai gŵr o'r enw John Roberts oedd y tafarnwr. Gŵr priod oedd hefyd yn chwarelwr oedd John Roberts a bu yng ngofal y dafarn er pan oedd yn wyth ar hugain oed.

Tyfodd poblogaeth yr ardal yn gyflym yng nghanol y bedwaredd ganrif ar ddeg. Ar ddechrau'r ganrif honno, dim ond ychydig o ffermwyr mynydd a'u gweision oedd yn byw yn y plwyf – magu defaid a thorri grug ac eithin i dai crasu Pwllheli oedd y gweithgaredd. Yna, agorwyd y 'gweithiau', sef y chwareli ithfaen gan 'droi cerrig y mynyddoedd yn fara'. Agorwyd chwarel Carreg y Llam yn 1908 a hi oedd yr olaf o'r chwareli ar ochr orllewinol yr Eifl i gau, a hynny yn Nhachwedd 1963. Adlewyrchir twf y boblogaeth yng ngweithgaredd adeiladu capeli'r pentref – dymchwelwyd y

Robert Roberts, Hannah Roberts a gwyliwr y glannau o flaen hen dafarn y Fic yn y 1930au

capel blaenorol ac adeiladwyd yr ail gapel Methodistaidd yn 1804, y trydydd yn 1834, y pedwerydd yn 1870 a'r pumed yn 1905. Yn 1841, roedd poblogaeth plwyf Pistyll yn 514 a phoblogaeth plwyf Carnguwch yn 119; erbyn 1901 roedd 739 yn byw ym mhlwyf Pistyll a 112 ym mhlwyf Carnguwch. Roedd John Roberts yn parhau yn dafarnwr yn y Fic yn 1905 ac mi gyfrannodd £22.13.6 o danysgrifiad at gostau'r capel newydd.

Yn wreiddiol, roedd pedair ystafell fechan yn nhafarn y Fic, gyda'r cwrw yn cael ei weini o jwg wrth y byrddau. 'Stafell y Padis' oedd enw un o'r rhai yn y cefn – cwmnïaeth o blith gweithwyr Nant Gwrtheyrn fyddai'n yfed yno fel arfer. Adeiladwyd pentre'r Nant yn yr 1860au, tua'r un cyfnod â'r Fic, pan agorwyd chwarel y Nant. Yr un cwmni oedd yn berchen y chwarel a'r tai ac enwau Saesneg a roddwyd ar y terasau yn wreiddiol – Sea View, Mountain View a Bay View ar y gornel gyferbyn â chapel Seilo. Enwau Cymraeg oedd ar fonciau'r chwarel – Ponc Uchaf, Ponc Bach, Ponc Isa, Sir Fôn, Buenos Aires, Palestina a Chlogwyn Nefyn. Âi llawer o sets Chwarel y Nant ar longau'r chwarel i Ddulyn, yn ogystal â dinasoedd gogledd-orllewin Lloegr, a doedd ryfedd bod Gwyddelod yn dod yn ôl ar y llongau gwag i weithio yn y Nant. Er eu bod yn hoff o gadw at eu hunain yn stafell gefn y Fic, roedd y Gwyddelod yn driw iawn i'w cyd-chwarelwyr. Anafwyd Cymro o Ro-wen yn Chwarel y Nant a methodd weithio am flwyddyn – ond cyfrannai'r Gwyddelod ddogn o'u cyflogau fel bod y teulu hwnnw'n dal i dderbyn yr un arian ag arfer yn wythnosol am flwyddyn gron.

Byddai doctor Llanaelhaearn yn cynnal meddygfa yn stafell gefn y Fic rai dyddiau'r wythnos – yr enwocaf o blith y meddygon hynny oedd cymeriad o'r enw Doctor Jac.

Daeth tro ar fyd yn hanes yr ardal. Caeodd y chwarel olaf, yr ysgol, dau gapel ac eglwys yn y 1960au. 'Roedd hi'n

Yr hen Victoria, a'r lle wedi'i gau

ddigon digalon yn y dafarn erbyn diwedd y saith degau,' meddai Richard Williams, Hen Felin, un o'r cyfarwyddwyr cynnar. 'Rhyw saith fyddai yno ar nos Wener. Roedd y stafelloedd yn fach a digysur. Ac eto, roedd yna gymeriad i'r lle ac roedd hi'n antur mynd yno.' Erbyn 1987, y bragwyr Ind Coope, Allied Brewery o Burton-on-Trent oedd yn berchen y Fic – ond nid oedd y cwmni'n gweld dim dyfodol i'r dafarn bentrefol. Disgynnodd y fwyell arni a chaeodd y drysau.

Am naw mis, bu Llithfaen yn bentref sych. Yna ffurfiodd yr ardalwyr gwmni cydweithredol a chasglu benthyciadau. Roedd honno'n broses hir a llafurus. Cafodd y criw gefnogaeth Canolfan Nant Gwrtheyrn, a chyfle i gyfarfod yn ei swyddfa oedd yn yr hen bost ar groes y pentref ar y pryd. Codwyd

Sêl Ind Coope ac Allied Brewery ar weithredoedd y Fic

Logo Tafarn y Fic a ddyluniwyd gan Arfon Huws, Porth Tocyn

£15,000, sicrhawyd morgais a phrynwyd y dafarn am £30,000 ar ôl gwasgu'r pris i lawr drwy brofi bod y wal gefn yn ansefydlog. Gwariwyd hefyd ar adfer yr adeilad, gyda'r cyfranddalwyr yn cyfrannu llawer o lafur gwirfoddol. Roedd y siariau cymunedol yn amrywio o bumpunt i rai cannoedd yr un a thrwy ymdrech a brwdfrydedd y cyfarwyddwyr cynnar, daeth ffyniant i'r Fic ac enw da iddi fel lle am adloniant ac awyrgylch Gymraeg a Chymreig.

Roedd traddodiad cydweithredol yr ardal yn hanfodol wrth sefydlu'r fenter newydd. Eisoes roedd yr hen ysgol gynradd Llithfaen wedi'i throi'n ganolfan gymdeithasol fywiog oedd yn cael ei rhedeg gan y pentrefwyr. Yn ystod y llewyrch diwydiannol, roedd yr ardal yn nodedig am dderbyn cyfrifoldeb dros eu heconomi eu hunain gyda siopau 'Co-op' yn Nhrefor, Llithfaen a'r Nant ac mewn cyfnod o ddirwasgiad, ni thorrwyd mo'r ysbryd hwnnw.

Sefydlwyd cwmni cyfyngedig cymunedol Tafarn y Fic Cyf gyda'r bwriad o gael yn Llithfaen 'dafarn Gymreig mewn rheolaeth a gweithgareddau'. Gwahoddwyd benthyciadau am gyfnod o bum mlynedd yn ddi-log. Lansiwyd hi fel apêl genedlaethol ac o'r dechrau, denodd y fenter gefnogaeth ledled Cymru oedd yn gweld y cynllun fel arbrawf arloesol gwerth chweil fyddai'n sicrhau rheolaeth leol ar ran o'r economi leol, yn ogystal â bod yn hwb i nosweithiau diwylliannol Cymraeg. Roedd cydweithio â'r Ganolfan Iaith newydd yn Nant Gwrtheyrn i ddenu dysgwyr i gymdeithasu â Chymry lleol yn rhan amlwg o'r cynllun o'r cychwyn.

Ymysg yr arloeswyr cynnar roedd Gwyn Elis, Plas – prifathro lleol oedd hefyd yn ymddiriedolwr yn Nant Gwrtheyrn ac yn ddolen bwysig rhwng y ddau; John Llyfnwy, ffermwr ac athro sy'n parhau i ymgymryd â llawer

Tafarn y Fic, dan ofal y fenter newydd

Sharon Glyn yn tynnu un o'r peintiau cyntaf

o orchwylion ymarferol wythnosol yn y dafarn; Dic Williams, Hen Felin Llwyndyrys, a roddodd brofiad o gynllunio ac adeiladu i'r fenter a chyfarwyddwyr brwd eraill fel Twm Pant-yr-hwch (mecanic), Bob Ciliau (ffermwr ac ysgrifennydd cyntaf y fenter), John Bryn Celyn Uchaf (gwerthwr glo), John Tacho (ffermwr), Wil Tŷ Newydd (fferyllydd) a Gwenan Pant-y-dŵr (ysgrifenyddes y cwmni am dros ddeng mlynedd). Wendi Jones, Meinir Jones, Iona Williams, Bethan Evans, Selwyn Jones a Myrddin Williams fu wrthi'n ailbobi'r gegin. Roedd Owain Williams yn awyddus i ailenwi'r lle yn Dafarn Gwrtheyrn, ond yr enw presennol a gariodd y dydd ac felly diflannodd yr hen enw *Victoria Inn*.

Cafwyd tenant i'r dafarn – Sharon Glyn – a fu yno am flwyddyn bron. Ailagorwyd y drysau yn Hydref 1988 a gan fod gan Sharon gefndir gweithio mewn cegin dafarn ym Mryn Cynan, cafodd hwyl ar goginio a gweini bwyd, gan sefydlu'r Fic fel lle da am fwyd yn ogystal.

Daeth llythyr o Henaduriaeth Llŷn ac Eifionydd yn

Criw'r Fic yn stiwardio ac yn rhedeg y bar yng Ngŵyl y Nant

mynegi pryderon am gamddefnydd o alcohol yn ein cymdeithas ond yn 'croesawu'r ffaith i'r hen dafarn ddod i ddwylo Cymry lleol, cyfrifol a gweithgar sydd â gofal mawr dros fuddiannau'r gymdeithas a'i thrigolion'.

Ar ôl Sharon Glyn, daeth Ifor a Glenda Roberts yn denantiaid i'r Fic ac fe'u dilynwyd hwythau gan William Russell Owen a Richard Derwyn Jones gyda les o dair blynedd ar rent misol o £550. Benthycwyd £20,000 ychwanegol gan gwmni Whitbread yn 1993 i wneud gwelliannau i'r adeilad a'r bar. Cafwyd cymorthdal o £1,900 gan Awdurdod Datblygu Cymru at wella'r maes parcio.

Wrth edrych yn ôl ar y cyfnod cynnar hwnnw (pan oedd pris cwrw yn llai na phunt y peint!), y nosweithiau adloniant cyfoes Cymraeg sydd amlycaf ymysg yr atgofion. Byddai'r 'pwyllgor' yn cyfrannu drwy noddi artistiaid fel Dafydd Iwan, Moniars, Steave Eaves a nifer o rai eraill fyddai'n dod i'r Fic ar delerau rhesymol dros ben. Bu John ac Alun yn bwrw eu prentisiaeth gynnar yma. Er mai canu caneuon gwlad Saesneg a wnâi'r ddeuawd ar y cychwyn, roedd eu

Y Nadolig olaf yn yr 'hen Fic', 2003

profiadau o flaen cynulleidfaoedd y Fic yn gymorth iddyn nhw ganfod pa lwybr i'w ddilyn a throi at greu adloniant cwbl Gymraeg. Byddai'r cyfarfodydd blynyddol yn ddigwyddiadau cymdeithasol gyda chyfle i dalu teyrnged i gefnogwyr o'r tu allan i'r ardal drwy wahodd siaradwyr fel Hywel Teifi, Wil Sam, Ioan Roberts, Alun Ffred a Myrddin ap Dafydd yno, ac i fwynhau bwffe wedi hynny.

Datblygiad naturiol o gysylltiad cyson y Fic a'r prif artistiaid Cymraeg oedd bod criw'r Fic, ar y cyd â chriw Nant Gwrtheyrn, yn trefnu Gŵyl y Nant o 1993 ymlaen. Y Fic oedd yn trwyddedu'r digwyddiad ac yn trefnu'r bar mewn pabell fawr yn y darn glas yng nghanol y pentref. Tyrrai'r miloedd yno a lluosog iawn ydi'r chwedlau am grwydro i fyny ac i lawr y lôn serth a thrio cael tacsis adref. Dros y blynyddoedd hynny, roedd Gŵyl y Nant ar fap prif ddigwyddiadau Cymru.

Daeth 'Cwis y Fic' yn sefydliad ynddo'i hun yn ogystal. Bu hwn yn fodd o gymhathu dysgwyr y Nant a'r bobl leol yn y dyddiau cynnar – roedd rheol bod pob tîm yn y dafarn i gynnwys un dysgwr ar nosweithiau cwis. Dros y gaeaf

Dathlu: Datblygiadau cyffrous mewn tafarn gydweithredol

Ehangu menter arloesol

MAE cynlluniau cyffrous ac apêl genedlaethol ar y gweill i addasu ac ehangu tafarn gydweithredol adnabyddus.

Mae'r clod i gyd yn disgyn ar y cwmni cydweithredol a fu'n ddigon mentrus i fuddsoddi yn Nhafarn y Fic, Llithfaen, pan oedd ei dyfodol yn ansicr 'nôl yn 1988.

[illegible]

Nod y datblygiad fydd creu adeilad cyfoes, cartrefol a chysurus, ac mae'r gwaith yn cynnwys creu cegin newydd, mynediad i'r anabl, ac ystafell gymdeithasol helaeth yng nghefn y dafarn a fydd yn cynnig adnoddau llawn ar gyfer [illegible]

Gan OSWYN HUGHES

"Bydd yr adeiladau newydd yn golygu bod pobl yn gallu cael bwyd ac adloniant," meddai'r pensaer.

"Rydym yn falch o gael y cyfle i weithio gyda'r cwmni ar fenter mor gyffrous. Y bwriad yw creu awyrgylch draddodiadol Gymreig ond mewn ffordd gyfoes. [illegible]"

Gyda'r gwaith adeiladu ar fin dechrau yn y gwanwyn, mae'r tenant olaf bellach wedi gadael y dafarn a gwirfoddolwyr y cwmni sy'n ei rhedeg drwy y cyfnod pontio hwn. Bydd rhaid cau y dafarn yn gyfangwbwl am rai misoedd cyn ail-agor. Oherwydd hyn, mae'r cwmni yn galw am fod [illegible]

Unigryw: Y dafarn fel ag y mae hi, ond mae cynlluniau cyffrous ar ei chyfer.

Adroddiad yn yr Herald Cymraeg *yn 2003 yn cyhoeddi'r bwriad i ailadeiladu'r Fic.*

diwethaf, cynyddodd y diddordeb yn y cwis unwaith eto, gyda llond y lle bob pythefnos. Gweithgareddau eraill sydd wedi bod mewn bri yn y bar ydi Clwb Ffilmiau a Chlwb Darllen.

Nid trin gwaith papur yn unig oedd rôl y 'pwyllgor'. Mae'r cofnodion yn dadlennu eu gweithgarwch ymarferol:

- 'gofyn y cwestiynau canlynol wrth gyfweld am denantiaeth y dafarn' (Awst 1993)
- 'y pwyllgor yn derbyn cyfrifoldeb am baentio tu allan i'r adeilad' (Hyd 1993)
- 'galw yn Jewsons i archebu sinc newydd i'r gegin (Meh 1993)
- 'y cadeirydd i gysylltu â Porthmadog Signs am arwyddion ochr allan (Mawrth 1992),
- 'cafwyd tipyn o firi yn bachu peiriant lleihau mwg yn y bar' (Ion 1992)
- 'nôl cwrw o Landudno' (Awst 1991)
- 'teimlai'r pwyllgor y dylem roi pob cymorth posib i'r tenantiaid newydd i lanhau'r dafarn' (Mawrth 1991)

Noson olaf yr hen Fic, 2003

- 'diolchwyd i John Llyfnwy a Jessie am osod y blodau' (Gorff 1995).

Ymysg tenantiaid eraill y blynyddoedd cynnar roedd Ifor a Sandra Hughes, Dylan Glo ac Iwan, Wil Russell a Richard Derwyn Jones, Gwyn Penlan ac yna Elfed Roberts, Alun Roberts a Dewi Evans. Rhyddhawyd o afael Whitbread a throi'n 'dŷ rhydd' ar ôl i'r dafarn gael ei thraed dani ond mae'n amlwg o gofnodion y 1990au bod problemau cyson yn codi gyda'r to, yr angen i fwtresu wal yn y cefn, boelar newydd, simnai simsan, llorio toiledau a thrwsio wal gefn y maes parcio.

Erbyn diwedd y ganrif, mae'r cyfrifon yn llithro i'r coch a phroblemau'r adeilad yn cynyddu. Nid oedd y system o osod i denant yn gweithio'n dda gan fod rhwygiadau'n codi rhwng 'pwyllgor' rhan amser a pherson busnes llawn amser. Lansiwyd ymgyrch i ddenu rhagor o fuddsoddwyr ac etholwyd gwaed newydd ar y pwyllgor, ond erbyn troad y ganrif roedd hi'n amlwg bod yn rhaid wrth fwy na byw o'r llaw i'r genau a phatsio'r dafarn dwll wrth dwll, landar wrth landar.

Gyda'r cyfarfodydd misol yn mynd yn fwy digalon a hen

Y gwaith o ailadeiladu'r dafarn yn 2004

gyfarwyddwyr yn ymddeol ar ôl gwneud tymor da o waith, daeth cenhedlaeth iau i gario ymlaen â'r gwaith yn y ganrif newydd gyda Gwyn Plas a John Llyfnwy yno o hyd fel dau angor.

Edrychwyd eto ar gynlluniau a wnaed gan Selwyn Jones, cwmni Pensel, Llanrug a fu'n aelod y bwyllgor y Fic am gyfnod. Gan ei fod yn adeilad trillawr, roedd problemau grisiau a gwastraff gofod yn yr adeilad presennol oherwydd rheolau tân. Doedd y bar ddim yn ddigon helaeth i gynnal y torfeydd angenrheidiol oedd ei angen i gynnal y dafarn ac roedd adnoddau'r gegin a'r ystafell fwyta yn hollol annigonol. Ar ben hynny, roedd y bwrdd pŵl mewn goruwch ystafell y tu draw i'r toiledau ac yn anghyfleus.

Addaswyd y cynlluniau gyda chymorth Sel y pensaer a chwiliwyd am bosibiliadau o gael cymorthdal helaeth i ailadeiladu'r dafarn i bob pwrpas. Dyma ddechrau ar gyfnod eithriadol o brysur i'r pwyllgorwyr – roedd mynydd o waith papur i fynd trwyddo i lenwi'r holl ffurflenni, cael polisïau perthnasol i'r cwmni a datblygu cynllun busnes a chreu llif arianol. Cafwyd cymorth gan adran economaidd Gwynedd a gwasanaeth yr ymgynghorydd busnes, Owain Wyn o Gaernarfon.

Yn y diwedd, cafodd y cwmni newyddion da. Sicrhaodd gymorthdal o £340,000 gan Gronfa Amcan 1, Cyngor Gwynedd a'r Awdurdod Datblygu a chymorthdal pellach at redeg y dafarn am dair blynedd gan greu nifer o swyddi. Golygai hyn y byddai newid sylweddol yn y ffordd y byddai'r cwmni yn gweithredu yn ogystal â golwg yr adeilad. Nid tenant fyddai yno mwyach, ond rheolwyr bar a gweinyddwr yn cael eu cyflogi gan y cwmni. Byddai angen i'r pwyllgor ymroi i reoli'r busnes yn effeithiol a hyd yn oed yn fwy ymarferol nag yn y gorffennol. Ond roedd y posibiliadau'n fawr, y gefnogaeth gan y gymdeithas leol yn gref a brwdfrydedd heintus i'w glywed wrth sicrhau dyfodol y

Ailagor y Fic yng nghwmni'r beirdd a'r cantorion, ac Alun Ffred A.C. yn cyflwyno'i ddymuniadau gorau

fenter am genhedlaeth arall. Oni bai am natur gydweithredol a chymunedol y cwmni, ni fyddai byth wedi sicrhau'r cymorthdal – ond roedd cyfrifoldeb arno yn awr i weithredu'n effeithiol fel busnes yn ogystal.

Caeodd y dafarn ar ôl Calan 2004 a dechreuodd Euron Griffiths a'i gwmni o Nefyn ar y gwaith o chwalu ac ailadeiladu. Ychwanegwyd darn croes helaeth yn y cefn gyda chegin a thoiledau ar y llawr gwaelod ac ystafell gymunedol/bwyty uwchben. Crewyd mynedfa i'r anabl a gosodwyd lifft rhwng y gwahanol loriau. Cadwyd cymeriad yr hen dafarn ond gan gyfuno dwy ystafell a newid lleoliad y bar fel bod digon o le i gynnal nosweithiau gyda bandiau a gosod byrddau darts a pŵl. Trowyd llawr uchaf y dafarn yn fflat. Cafwyd llwyth ar-tic o drawstiau pitch-pine o hen felin mewn chwarel yn Stiniog i roi graen da i'r ffenestri a'r lloriau. Mae'r olygfa dros Fae Ceredigion o'r ffenestri newydd yn y cefn yn un o'r goreuon yng Nghymru.

Y noson fawr oedd 6ed Tachwedd, 2004 – noson yr ailagor ar ôl haf hir a sychedig. Dathlwyd drwy lansio cyfrolau o farddoniaeth gan Huw Erith a Mei Mac ac adloniant arbennig gan Bob Delyn a'r Ebillion. Roedd y dafarn dan ei sang, dros ddau gant a hanner yn bresennol, a'r hwyl ryfeddaf ar bawb.

Canodd Mei Mac gywydd i'r achlysur, gan nodi:

> Pedair wal o hwyl calon;
> llawn o'r lownj allan i'r lôn:
> a chigoedd lond ei chegin
> a gwerth clywedog o win . . .
> . . . Blas y Cymry – felly fydd
> ciniawa'n y Fic newydd!

Gan y bardd tafarn, dathlwyd bod optimistiaeth wedi trechu sinigiaeth:

> Rhai trist wrth bob statistic

Un o bosteri'r gyfres Lol Botas

a welent fynwent y Fic;
dwedai un yn sardonic:
'wedi ei fyw mae dy Fic . . .
Fel cario'r Eifl a'u cerric
fu hynt ailgerflunio'r Fic;
naddodd y criw mynyddic
y rhiw faith yn ôl i'r Fic:
do, bu'n gerdded blinedig,
ond 'na fo – dwi yn y Fic.

Penodwyd Chris Blake o Fôn yn rheolwr y bar ac Anwen Jones o'r pentref yn weinyddwr ar y cwmni. Dechreuwyd defnyddio'r ystafell newydd fel man cyfarfod, stafell gyrsiau a dosbarthiadau nos – cylch cynganeddu, gweithdai celf, cyrsiau cyfrifiadurol. Ymhen amser penodwyd Breian Crown yn gogydd ond buan y gwelwyd na ellid rheoli cegin a bwyty drwy bwyllgor amatur. Rhentwyd y gegin i Chloe a Tim yn 2006 ond er iddynt roi popeth i'r fenter am rai misoedd, nid oeddent yn medru cael dau penllinyn ynghyd.

Canolbwyntiwyd ar redeg y lle fel tafarn gymunedol gyda nosweithiau adloniant bob rhyw dair wythnos. Datblygwyd math newydd o adloniant tafarn, sef nosweithiau Lol Botas. Dros ddau aeaf 2005 a 2006 gwahoddwyd tafarnau cymunedol eu naws yn yr ardal – Clwb Bach Trefor, Tŷ Newydd Sarn, Y Bluan Llanystumdwy, Ring Llanfrothen a Twnti Rhydyclafdy – i gystadlu mewn cynghrair oedd yn galw am gyfraniadau fel limrigau, dweud stori, caneuon digri, offerynau gwreiddiol, dynwared a ballu. Ymwelai pob tîm â thafarnau'i gilydd unwaith y mis gyda Mei Mac yn Lolbotiwr, sef gosodwr a marciwr y tasgau. Cafwyd llwyth o hwyl ac eitemau anfarwol

Anthony Evans yn cynnal gweithdai celf ac yn cyflwyno'i luniau o'r ardal i'r dafarn, a lluniau Malcolm Gwyon o Meic Stevenc a Cowbois Rhos Botwnnog

Cofio Gwyn Plas – noson yr Ocshwn a diwrnod agor y llwybr, yng nghwmni'r teulu ac Ian Huws

Gwyn Plas yn arwain taith gerdded o amgylch Llithfaen

– mae'r ddau dlws ar silff ben tân y Fic yn atgof pleserus iawn o'r nosweithiau hynny.

'Roedd y nosweithiau Lol Botas yn gyfle gwych i'r degau o bobl hynny'n yr ardal sydd â dawn dweud unigryw ond heb lwyfan i rannu eu hiwmor,' meddai Mei Mac wrth ddwyn y gornestau hyn i gof. 'Pobl ddigri yn perfformio gwaith hynod o unigryw o flaen criwiau hwyliog tu hwnt. I gyd-fynd â'u caneuon a'u jôcs daeth y timau â'r pethau rhyfedda' gyda nhw gan gynnwys dwy sosban, creyr glas plastig a drws car. Ond er bod y nosweithiau hynny gyda'r pethau mwyaf hwyliog i mi fod yn rhan ohonynt erioed, roedd marcio'r deunydd yn brofiad erchyll ar adegau. Ar ôl clywed ambell beth anllad a phiws (eto i gyd yn gampweithiau doniol tu hwnt) ro'n i'n gorfod eu darllen eto ar eu hyd, pob gair, pob rheg a phob cyfeiriad aflednais. Profiad anghynnes weithiau ond roeddwn i wrth fy modd!'

Yn 2005, gyda chymorth swydd y gweinyddwr, trefnwyd prosiect celf yn y Fic gyda chymorth Arian Loteri Cyngor Celfyddydau Cymru. Roedd cysylltiad agos rhwng Anthony Evans, arlunydd o Gaerdydd, â Llŷn eisoes – roedd wedi arddangos yn Oriel Glyn y Weddw ac wedi'i ysbrydoli gan ei thirwedd. Mae gan Anthony ddiddordeb arbennig mewn mentrau cydweithredol – mae'n rhan o oriel gydweithredol Canfas yng Nghaerdydd a bu'n gyfarwyddwr ar Glwb y Bont ym Mhont-y-pridd. Gan fod elfen storïol gref yn ei waith, penderfynwyd mai ef fyddai'r un i greu tri darn o waith celf sylweddol ar gyfer waliau'r dafarn, i gyfleu hanes, treftadaeth a chymeriad yr ardal.

Dadorchuddiwyd campweithiau Anthony ym Mai 2005, yn benllanw ar bedwar mis o weithdai celf a gynhaliodd yr artist yn ysgolion a chlybiau ieuenctid y fro. Trefnwyd prosiect celf tebyg yn 2009 gyda chydweithrediad yr arlunydd Malcolm Gwyon o Aberteifi. Cafodd ei ysbrydoli gan weithgaredd adloniadol y dafarn i greu lluniau o artistiaid fel Meic Stevens, Meinir Gwilym, Cowbois Rhos a Gai Toms. Mae'r gwaith celf yma yn rhan barhaol o waliau'r dafarn, ochr yn ochr â hen luniau o'r ardal, gan roi haen arall o falchter ac arbenigrwydd i'r sefydliad.

Ergyd annisgwyl i'r Fic ar ei newydd wedd oedd colli Gwyn Plas ym Mai 2006. I lawer, Gwyn *oedd* y Fic – Gwyn a'i wên a'i dynnu coes a'i rhwbio dwylo wrth gynhesu iddi. Ymddeolodd yn gynnar o fod yn brifathro Ysgol Pont y Gof, Botwnnog yr haf cyn hynny ac roedd yn barod i dorchi'i lewys i gasglu hanes Llithfaen ac arwain nifer o brosiectau lleol.

Roedd eisoes yn garreg sylfaen sawl agwedd ar fywyd cymdeithasol ei fro – bu'n ymddiriedolwr yng Nghanolfan Iaith Nant Gwrtheyrn, yn aelod selog o'r Cyngor Plwy ac yn gefn i bwyllgorau'r cae chwarae, y Ganolfan, y clwb snwcer a'r gymdeithas hanes. Gwyddai bod bwrlwm cymdeithasol yn denu a chadw teuluoedd ifanc yn yr ardal a dyna oedd cyfraniad y dafarn yng ngolwg Gwyn. O'r cychwyn cyntaf, bu'n drysorydd i Gwmni Tafarn y Fic ac am dros deunaw mlynedd, cadwodd lygad barcud ar y fantolen. Roedd yn ddyn brwsh a phaent a sgwrio lloriau yn ogystal â thaclwr gwaith papur.

Doedd hi byth yn dawel nac yn fflat yn y Fic os oedd

Gwyn yn y cwmni – roedd yn tynnu'r gymdeithas at ei gilydd gyda'i ddireidi. Mae John Llyfnwy yn dwyn hynny i go': 'Cofiaf amdano'n mynd drwy'i bethau un noson ac yn sydyn yn rhoi ei fraich am ysgwydd y wraig, ac edrych arnaf a dweud, "Wel Lyn, mae Llyfnwy yma'n mynd yn hen rŵan; dyn ifanc wyt ti isio – 'run fath â fi". Oedd roedd ganddo ffordd arbennig o drin pobl: câi ddweud a gwneud pethau na feiddiai neb arall ymgymryd â nhw'.

Mae'r dyfyniad hwn o gywydd Gareth Neigwl yn crynhoi'r cyfan:

Gwyn, y wên o hogyn oedd
Na naddwyd gan flynyddoedd,
Yn obeithion aflonydd,
Ei ynni ddoe a lenwai'i ddydd.
Bod â gwên oedd bywyd Gwyn,
Tynnu coes, tonic cesyn.

Er colli Plas, roedd criw Tafarn y Fic yn benderfynol na châi ei obeithion na'i freuddwydion fod yn llonydd. Ymunodd Lois, ei ferch â'r pwyllgor i fod yn drysorydd ac yn ddiweddarach daeth ei brawd a chwaer – Osian a Manon – yn gyfarwyddwyr yn ogystal. Un o'r tasgau cyntaf a roddodd y pwyllgor ifanc iddo'i hun oedd codi cronfa i ddathlu bywyd Plas a chofnodi ei gyfraniad.

Roedd nos Sadwrn honno fis Medi 2006 yn un o 'nosweithiau mawr' y Fic. Dechreuwyd gydag ocsiwn addewidion gyda Iolo Penllechog yn tynnu gwên a thynnu ugeiniau o bunnoedd gan dafarn dan ei sang wrth daro'r morthwyl ar ddegau o roddion. Dôi cynigion hael a hwyliog o bob congl o'r bar ac o'r stryd drwy ffenestri agored. Roedd hi'n olygfa gofiadwy i fodurwyr oedd yn digwydd pasio siŵr o fod – ffenestri'r dafarn yn agored at eu hanner a rhes o dinau yn wynebu'r drafnidiaeth wrth i'r cynigwyr chwifio'u breichiau ar yr arwerthwr. Perfformiodd Dafydd Iwan,

Cerrig coffa'r chwarelwyr

Geraint Løvgreen a Cowbois Rhos Botwnnog am ddim i roi adloniant i'r dyrfa weddill y noson.

Codwyd bron £6,000 i gronfa apêl Gwyn Plas a threuliwyd dwy flynedd ar ôl hynny yn cynllunio prosiect treftadaeth a denu cymorthdaliadau pellach o £18,000 gan yr Ardoll Agregau – arian ar gyfer hen ardaloedd chwarelyddol – a £10,500 pellach o gronfa Datblygu Cynaliadwy Llŷn.

Pan ddathlwyd cwblhau'r prosiect ar 3ydd Mai, 2009, daeth tyrfa dda o 250 ynghyd i ddadorchuddio Cofeb y Chwarelwyr ym Mhen y Nant a cherdded Llwybr Gwyn Plas, taith 2 filltir o amgylch y pentref yn cysylltu chwe charreg gwybodaeth. Ar ben popeth arall, roedd Gwyn yn gerddwr brwd, yn arweinydd teithiau ac yn gasglwr mawr ar hanes a llên gwerin ardal yr Eifl.

Mae'r llwybr wedi'i ddynodi'n daclus gydag arwyddion derw o weithdy yn y Ganllwyd ac yn cynnwys gwylfa arbennig ar ystlys yr Eifl yn nodi enwau sy'n perthyn i'r olygfa banoramig a welir oddi yno. Ysgythrwyd y cyfan ar ithfaen o chwarel Trefor gan gwmni Cerrig, Pwllheli. Lluniwyd logo i'r llwybr gan ferch leol – Sioned Wyn Jones – ac ar gyfer llwybrau eraill yn yr ardal y mae Llwybr Gwyn Plas yn dolennu â nhw. Tair carreg anferth o'r Eifl yw Cofeb y Chwarelwyr – yn cynrychioli tair chwarel orllewinol y mynyddoedd hyn, Chwarel Cae'r Nant, Porth y Nant a Charreg y Llam. Cyflwynwyd syniad y tri maen gan y diweddar Arfon Huws, Porth Tocyn a gwnaed llwyfan o hen sets Trefor a gwaith cerrig yr wylfa gan ddau saer maen lleol,

Dylan ac Iwan Foel. Creodd Robart George, Tanygrisiau waith celf ar y cerrig, yn cynrychioli gwaith y chwarelwyr a'r cei stemars, a hefyd tai crynion Tre'r Ceiri, y seintiau cynnar, y pysgotwyr a'r tyddynwyr yn ardal Nant Gwrtheyrn, a natur a'r tymhorau. Mae'r tri maen yn sefyll yn agos at ei gilydd, yn arwydd o nerth y gymdeithas leol.

Ym mhen Nant, ar ddyddiau brochus yn y gaeaf, byddai'r gwynt mor gryf ambell ddiwrnod fel y byddai'n rhaid i'r chwarelwyr gropian ar eu pedwar ar hyd rhan o'r llwybr ar eu ffordd i'r gwaith. Amodau caled y gweithwyr ar y graig a ysgogodd y cywydd hwn sydd wedi'i ysgythru ar faen o dan tair carreg y gofeb:

Ar lwybr chwarel

Ar eu pedwar, pwy ydynt
'ddaw i'w gwaith drwy ddannedd gwynt?

Gwŷr caeth i fara'r graig hon
a'u gwinedd ynddi'n gynion,
haf neu aeaf, yr un iau
o gerrig ar eu gwarrau.

Ond hwy, ar lwybr yr wybren,
yn plygu, baglu i ben
y mynydd, hwy yw meini
conglau ein waliau – a ni,
mor bell o gyllell y gwynt,
yw'r naddion o'r hyn oeddynt.

Criw Tafarn y Fic arweiniodd y prosiect arbennig hwn, gan dderbyn cymorth a chefnogaeth ymarferol ac ariannol gan lawer o gymdeithasau ac unigolion o'r fro. Gwariwyd tua £35,000 ond mae'r cyfan yn golygu bod ein diwylliant yn rhan weladwy o'r ardal bellach. Ar gerrig ithfaen yr Eifl, mae darnau o'n hanes yn gyhoeddus – straeon am ryfel y tir comin, trawsgludo gwrthryfelwr i Botany Bay, hanes traddodiad cerddorol Llithfaen ac ysbryd cydweithredol yr hen bentref chwarel. Mae enwau copäon, bylchau, clogwyni a chwareli ar y meini; dyfyniadau o farddoniaeth a delweddau cerfiedig. Cymraeg ydi iaith y cyfan, gydag arweiniad i'r geiriau yn Saesneg ar daflenni ac ar wefan tafarnyfic.com. Ysgogwyd hyn i gyd gan yr awydd i goffáu bywyd a gweledigaeth Gwyn Plas, gŵr oedd yn medru tynnu pobl at ei gilydd a chael pethau i ddigwydd, a hynny heb golli gafael ar ein hwyl gynhenid ni.

Dadorchuddiwyd y gofeb gan Ian Huws, prifathro Cefnddwysarn a hen gyfaill i Gwyn Plas. Cyflwynodd ei deyrnged ei hun a gair gan Osian ar ei daith yn Seland Newydd, cyn torri'r rhuban yng nghwmni teulu Bodelen. Cerddwyd y llwybr i lawr i Lithfaen i fwynhau gwledd o gynnyrch lleol a chroeso Cymreig Hefina a Tomos yn y Daflod ac adloniant yn y bar gan Gai Toms. Bydd cannoedd yn cerdded y llwybr yn flynyddol. Bellach mae'r enwau a'r straeon yn rhan o'r olygfa.

Dros y blynyddoedd, mae Tafarn y Fic yn falch o'r canghennau sydd wedi tyfu oddi ar ei boncyff. Bu swydd rhan amser gweinyddwr y dafarn ers 2004 yn fodd o roi profiad a hyder i unigolion a aeth ymlaen i swyddi eraill maes o law – aeth Anwen Jones yn swyddog gerddi treftadaeth wedi cyfnod yn y Fic; aeth Nia Hughes o Lanberis o'r Fic ar gwrs gweinyddu'r celfyddydau ac mae bellach yn gweithio yng Nghanolfan Galeri, Caernarfon; aeth Rhys at fenter bentrefol Llanfrothen ac mae Sioned sydd yma ar hyn o bryd yn gwneud defnydd o'r profiad yn ei chwrs gradd ym Mangor.

Yn Hydref 2008, gwireddwyd breuddwyd Hefina Pritchard o Foduan ger Pwllheli pan agorodd fwyty'r Daflod yn ystafell gefn y Fic. Rhentu'r gegin a'r ystafell gefn ar nosweithiau Iau, Gwener a Sadwrn y bydd Hefina a'i gŵr

Tomos ac mae'n fusnes teuluol gan fod eu tri phlentyn, Ifan, Morfudd a Gruffudd, yn torchi eu llewys yno'n gyson hefyd.

Hysbyseb y Daflod,
bwyty stafell gefn y Fic, yn Llanw Llŷn

Un sbardun i agor y bwyty oedd cymeryd rhan yn Casa Dudley, y gystadleuaeth goginio ar S4C. Roedd Hefina yn un o ddeuddeg gymerodd ran yn y gystadleuaeth. Mwynhaodd y profiad o gydweithio gyda'r cogydd Dudley Newberry a'r beirniaid eraill yn Nyffryn Ronda yn Sbaen. 'Dysgais lawer gan Dudley a'r criw am goginio,' meddai Hefina, 'a'r pwyslais roeddynt yn ei roi ar fwyd ffres wedi ei brynu'n lleol. Heb os cael cyfarfod Bryn Williams oedd yr uchafbwynt i mi, ac o ran y profiad, mae'n sicr wedi codi ysfa i mi goginio mwy. Roeddwn i'n digwydd bod yn Tafarn y Fic un noson a dyma ddechrau sôn am agor bwyty. Mi ges wybod fod y gegin yn segur ar y pryd a bod ystafell ar gael. Mae'n siwtio fi i'r dim. Dim ond tair noson sydd ar gael yn y Fic. Gan mai tafarn gymdeithasol yw'r Fic mae'r ystafell yn cael ei ddefnyddio i bethau eraill ar ddechrau'r wythnos.'

Enillodd Hefina a bwyty'r Daflod wobr Goreuon Blas a Dawn Gwynedd yn yr adran Cynnyrch Lleol/Bwyta Allan yn 2009. Mae'r pwyslais ganddi ar gynnig bwyd ffres, tymhorol, gan ddefnyddio cynnyrch lleol a'i gyflwyno mewn naws Gymreig. (Gellir archebu bwrdd drwy ffonio Tomos 07748932588 neu e-bostio *hefinatyddyncae@hotmail.com.*

Yn 2011, sefydlwyd cwmni arall a ddeilliodd o weithgaredd y dafarn – bragdy Cwrw Llŷn. Mae chwech o'r

Rhai o griw Cwrw Llŷn; Iwan a John Llyfnwy yn bragu a lansiad 'Brenin Enlli' yn y Fic, Gorffennaf 2010

deuddeg cyfarwyddwr yn aelodau o fenter gydweithredol y Fic a lleolwyd y bragdy yn wreiddiol mewn hen feudy yn Llwyndyrys lai na dwy filltir i lawr yr allt o'r dafarn. Roedd profiad rhai o'r aelodau o waith seler a rhedeg bar yn hanfodol wrth fragu cwrw casgen go iawn a defnyddiwyd y Fic fel prif leoliad treialu ac arbrofi gyda gwahanol ryseitiau cwrw.

Cododd yr awydd i fragu cwrw wrth weld bod bri a marchnad i gynnyrch a diwylliant lleol. Mae bragdai bychain ledled Cymru bellach yn bragu cwrw o safon, sy'n fwy blasus a iachus, yn fwy 'gwyrdd' a chyda llai o lwybr carbon, na chynnyrch y cwmnïau cemegol mawrion. Mae Cwrw Llŷn bellach ar werth mewn tafarnau a chlybiau ym mhob cwr o Lŷn ac Eifionydd.

Cwmni cyfyngedig gydag elfen gydweithredol gymdeithasol iddo ydi'r bragdy, yn dilyn yr un egwyddorion â chyfansoddiad Tafarn y Fic. Yn Ionawr 2012, symudodd y cwmni i fragdy helaethach ar stad ddiwydiannol yn Nefyn gan wario dros £30,000 ar offer bragu ac eplesu newydd.

'Mae'r galw wedi bod yn llawer uwch na'r gallu i gynhyrchu'r cwrw o'r cychwyn,' meddai Gareth Hughes Jones, un o'r bragwyr. 'Dan ni wedi dotio at yr ymateb gadarnhaol rydan ni'n ei dderbyn gan bobl leol. Maen nhw'n mwynhau'r blas unigryw ac yn falch o'r cynnyrch sy'n rhan o'u hanes a'u diwylliant nhw. Wedyn mae ymwelwyr yn gwirioni arno fo hefyd – dod yma i chwilio am gynnyrch fel hyn y maen nhw.'

O ran hanes, mae gan wlad Llŷn linach ddiguro. Yn 2008 darganfuwyd cafn pren o'r Oes Efydd ar fferm Nant, Porth Neigwl. bu'r archaeolegwyr yn crafu'u pennau ynglŷn ag o am sbel nes sylweddoli mai haidd bragu oedd yr hadau ynddo. Ond sut oedd pobl pedair mil o flynyddoedd yn ôl yn berwi brag mewn cafn pren? Gerllaw canfuwyd olion coelcerth a phentyrrau o gerrig a disgynnodd y geiniog. Roedd y cerrig yn cael eu poethi'n wynias mewn coelcerth ac yna'n cael eu cario i'r trwyth oedd yn hel blas yn y cernyn pren er mwyn ei ferwi. Tyfai'r ffermwyr cynnar hynny haidd yn Llŷn a defnyddient flodau'r eithin i roi blas a chwerwedd i'r ddiod. Mae pedigri yfed cwrw yn yr ardal yn un iach iawn felly.

O'r dechrau, mae aelodau Cwrw Llŷn yn anelu at gynnyrch cwbl leol. Arbrofwyd yn llwyddiannus ar dyfu haidd brag yn Botacho Wyn, Nefyn yn 2011 ac aeth dau o'r cwmni i Denmark i ymweld â bragdy ar fferm sy'n tyfu ei hopys a'i haidd ei hun, a hefyd yn eu sychu a'u trin mewn odyn arbennig yn un o'r tai allan. Y freuddwyd fawr gan y cwmni yw creu bragdy a chanolfan dreftadaeth ar dir Llŷn mewn rhai blynyddoedd – bydd yno ardd hopys ac eithin ar gyfer rhoi blas i'r ddiod, odyn sychu, bragdy addas i ymwelwyr wylio'r broses, moch i fwyta'r soeg, bar profi wrth gwrs a chanolfan yn olrhain hanes bragu. Bydd y ganolfan deuluol gyda parc antur thematig i blant ac adloniant Cymreig yn ogystal.

Yn ôl yn y presennol, mae'r cwmni'n canolbwyntio ar gynhyrchu a marchnata dau fath o gwrw casgen ar hyn o bryd – Brenin Enlli, cwrw chwerw lliw copr (4 ABV) a Seithenyn, cwrw melyn cyfandirol ei flas (4.2 ABV). Mae straeon a thraddodiadau lleol yn plethu i'w dewis o enwau a thrwy hynny mae'r cynnyrch ei hun yn hyrwyddo ein diwylliant.

Mae'r enw cwrw chwerw yn tarddu o Ynys Enlli – gan mlynedd yn ôl roedd cymuned o ddau gant o bobl yn byw yno, yn ennill bywoliaeth drwy bysgota a ffermio'u tyddynnod. Yn ôl traddodiad llawer o ynysoedd, roeddent yn ethol eu brenin eu hunain a'r brenin olaf, Love Pritchard, yn gwisgo'i goron a ddefnyddir i hybu'r cwrw.

Roedd yr ynys yn enwog am ei haidd – roedd y cnydau mor drwm fel bod y coesau'n plygu a'r grawn yn cyffwrdd y ddaear erbyn ei bod hi'n amser ei gynaeafu. Arferai'r ynyswyr fragu eu cwrw cartref eu hunain, gan roi pys yn ogystal â haidd a gwenith yn y potas. Roedd yn ddiarhebol o gryf – byddai'r ddiod mor nerthol ar adegau nes bod poteli yn chwalu ar silffoedd y bythynnod!

Mae chwedl Cantre'r Gwaelod yn rhan o dreftadaeth arfordir Bae Ceredigion a'r stori am y meddwyn Seithenyn yn esgeuluso gofalu am y morgloddiau nes i'r môr stormus foddi'r cantref cyfan un noson. Ar arfordir deheuol Llŷn, daw boncyffion derw i'r golwg yn y tywod ar drai mawr – dyma olion hen goedwigoedd cynhanes a foddwyd pan gododd lefel y môr ar ddiwedd yr Oes Iâ, gan roi sail i hen gof gwlad am golli tir i'r tonnau.

Bydd y cwmni yn defnyddio englynion ar ei bosteri hyrwyddo ac ar fatiau cwrw yn ogystal:

Cwrw Llŷn

Berw'r cwrw mewn cerwyn, – yr haidd aur
Yn rhyddhau'i belydryn
Ac mae oglau llwybrau Llŷn
I'w godro o bob gwydryn.

Enillodd Cwrw Llŷn wobr yng nghystadleuaeth Gorsedd y Dreigiau, Menter a Busnes yn Eisteddfod Genedlaethol Wrecsam a gwobr 'Y Grwp Gorau' Blas a Dawn Gwynedd, 2011. Mae'r ysbryd cydweithredol cryf a'r awydd i hyrwyddo delwedd Gymraeg a chymeriad lleol yn egwyddorion pwysig yn yr oes hon sy'n rhoi pwyslais ar ôl troed carbon a pheryglon cwmnïau anferth, rhyngwladol. Ar ben hynny mae'r hogiau – a'u gwragedd! – yn mynnu bod eu cynnyrch yn iachach, yn fwy blasus ac yn well na 'sothach y bragdai mawr 'na'. Fel y dywed eu slogan: 'Pen de sy'n cyfri yn y Pen Draw'.

Yn y Fic y lansiwyd y cwrw cyntaf – a hynny ar bnawn eithriadol o braf yn niwedd Gorffennaf. Dechreuwyd gyda bandiau lleol Helyntion Jôs y Ficar a Sesh Mi Gawn yn canu ar gefn trelar Morgan Ciliau i dyrfa anferth yn y maes parcio. Yn hwyrach, canodd Gwibdaith Hen Frân yn y dafarn a rhwng pnawn a nos roedd dros bum cant o bobl o bob cwr o Lŷn ac Eifionydd wedi mwynhau'r achlysur.

Fel pob tafarn gymunedol arall, mae nosweithiau darts a pŵl yn bwysig i raglen y Fic ac yn llenwi dyddiaduron y cwsmeriaid. Bydd criwiau da yn tyrru yno i wylio gemau rygbi Cymru hefyd, ond ar y cyfan llun ar wal ydi'r teledu yno. Prif gyfraniad y dafarn ydi darparu adloniant i'r to ifanc yn bennaf, er bod sawl cenhedlaeth hŷn bellach yn mwynhau'r rhan fwyaf o'r grwpiau. Yn ôl hen draddodiad y dafarn, does dim tâl mynediad – mae'n adloniant rhad ac am ddim. Mae hynny'n galluogi'r Fic i wneud cyfraniad mewn mwy nag un ffordd – rhoi llwyfan i grwpiau ifanc lleol nad ydyn nhw eto wedi gwneud enw iddyn nhw'u hunain ac na fyddai torf yn fodlon talu i fynd i'w gig; denu criwiau ar ymylon y byd canu cyfoes Cymraeg i ymddiddori mwy yn y grwpiau a'r caneuon.

Wrth adnewyddu'r Fic, prynodd ei system sain ei hun ac mae honno bellach wedi'i hadnewyddu. Mae hon yn hanfodol i'r lle – mae'r adnoddau yno ar gyfer llwyfannu pob math o adloniant tafarn ac mae llawer o'r grwpiau yn gwerthfawrogi yn arw bod modd iddyn nhw ddefnyddio offer y tŷ yn hytrach na llogi a llusgo eu gêr eu hunain yno. Mae hynny'n golygu y bydd grwpiau yn gofyn am lai o dâl fel rheol, gan fod eu costau yn is. Mathemateg y busnes adloniant yma ydi un mewn pump – hynny ydi, am bob canpunt y bydd y dafarn yn ei dalu i grŵp, mae'n rhaid derbyn pum cant dros y bar. Nid ar chwarae bach mae cyflwyno grwpiau safonol yn rhad ac am ddim felly, ond dyna ddiben y lle wedi'r cyfan. Mae'r elw yn cael ei fuddsoddi mewn adloniant a chreu cyffro Cymraeg ym mywydau'r to sy'n codi.

Y 'dyddiau mawr' yn y flwyddyn ydi'r gwyliau banc. Bydd dewis da o grwpiau dethol yn canu rhwng pedwar a

*Rhai o'r artistiaid sydd wedi cyfrannu at adloniant y Fic:
Edwin a Dafydd Iwan; Gai Toms; Meic Stevens; Geraint Lovgreen;
Tecwyn Ifan a'r band; Cowbois Rhos Botwnnog.*

saith o'r gloch ar y dydd Sul fel arfer a chynulleidfa dda yn cynnull yno cyn mynd ymlaen am y dre neu Caernarfon. Mae grwpiau fel Gai Toms, Gwibdaith, Celt, Bob Delyn, Cowbois, Løvgreen a Bandana yn saff o dynnu a chyn hynny Sibrydion, Ffrisbi, Moniars, Estella a Geraint Roberts a'i fand, a myrdd o rai eraill. Mae'n olygfa wych gweld dros dau gant o Gymry ifanc yn codi hwyliau a thros y blynyddoedd mae'n braf gweld cerddorion lleol yn magu hyder wrth ddod yn ôl i berfformio'n gyson. Gallwn edrych yn ôl ac olrhain datblygiad grwpiau fel John ac Alun, Nar, Eryr, Pwsi Meri Mew, Cowbois Rhos Botwnnog, Helyntion Jôs y Ficar a grŵp y dafarn ei hun, Sesh Mi Gawn.

O dro i dro, mae'n braf medru cynnig croeso i artistiaid o'r tu allan i'r cylch lleol – bu Heather Jones yma yn gwefreiddio; bydd y grŵp Shandyfolk o Iwerddon yn dod â'u jigs a'u jôcs efo nhw o dro i dro; mae'n braf clywed caneuon ysbrydoledig Neil Rosser a Tecwyn Ifan yma a daeth côr cyfan o Geredigion i ganu yn y bar unwaith. Efallai mai'r artist sy'n saff o'i le yn y Fic tra bydd yn dewis hynny ydi Meic Stevens. Ar draws Bae Ceredigion, bydd goleuadau Tyddewi i'w gweld ar nosweithiau clir, ac mae caneuon Meic yn cyffwrdd calonau yn Llithfaen. Mae'r gwrandawiad yn dda, yr ymateb yn llawn cyffro a llawer yn gwybod pob gair o bob cân. Mi fydd Meic i'w weld yn mwynhau ei hun yno hefyd a fydd amser ddim yn cyfri. Doedd o ddim ond wedi canu dwy gân o'i set gyntaf yno unwaith a'r to'n codi gan fonllefau. 'Jiw, be sy'n bod arnoch chi bois? meddai Meic, yn swil braidd yn wyneb grym yr ymateb. 'Dim ond cân yw hi!'

'. . . tithau'n dwyn gwanwyn a gwin a hithau'n dymor eithin
a rhoi i'r llun o drai a llaid wlith ar wenith yr enaid . . .'

Mae'r hyn sydd wedi digwydd yn y Fic ers dros ugain mlynedd yn batrwm o'r hyn sy'n bosibl pan fo cymdeithas leol yn ei harfogi ei hun. Gall menter gydweithredol lwyddo pan fo busnesau sy'n dilyn delfrydau a dedfrydau economaidd y dydd yn methu. Drwy ewyllys da pobl y fro y mae'r Fic yn dal ei thir, ac mae'n amhosibl prisio hwnnw. Mae'n wers i'r rhai mewn awdurdod hefyd i sylweddoli y gall cwmni bychan o'r ardal lwyddo, a rhoi llawer yn ôl i ardal, pan fo cwmnïau mawr o'r tu allan wedi hen roi'r ffidil yn y to.

Mae llwyddiant y Fic mewn pentref gwledig, chwe milltir o dref Pwllheli yn hwb amlwg i fusnesau eraill mewn cyfnod o ddirwasgiad enbyd ar yr economi wledig. Drwy fod yn ganolfan ddiwylliannol o bwys ac yn destun balchter i bobl ifanc, mae'n rhan o'r bywyd a'r bwrlwm sy'n denu'r to hwnnw i aros yn Llŷn, neu i ddychwelyd yno ar ôl bod i ffwrdd am gyfnod.

Mae posib cael gwybodaeth am ddigwyddiadau'r Fic ar y we (www.tafarnyfic.com), mae safleoedd trydar a facebook gan y dafarn a bydd yn hysbysebu'n rheolaidd yn y papurau bro.

Tafarn y Fic

Hen ddoniau'n dal i ddiddanu, – môr hardd
Y Gymraeg yn canu
Ac mae'r don o groeso'n gry:
Diferyn, a difyrru.

Dewi Prysor

Tŷ â gwên yn ei gasgenni, – honno'n
Wên hŷn na Thre'r Ceiri;
Tŷ'r hen oes, tŷ'n pentra ni,
Tŷ gyda'r to i'w godi.

Myrddin ap Dafydd

Yn ôl arfer y clerwr,
Mi fûm yn canu 'mhob cwr;
Gwn lle sy orau gen-i:
Canu'n y Fic a wnaf i.

Twm Morys

SIOP PEN-Y-GROES
Llithfaen

gan Sianelen Pleming

Nid yw mentrau cydweithredol yn estron i gymdeithas chwarelyddol yr Eifl. Wrth fynd yn ôl i ddiwedd 1870au, cawn griw o weithwyr yng Ngwaith Mawr Llan'huar, Trefor yn sefydlu'r '*Eifl Workers Co-operative Society*' ac yn agor siop yn Ffordd yr Eifl (*Farren Street* bryd hynny) i ddiwallu anghenion y gymdogaeth. Hon oedd yr ail siop Go-op i'w sefydlu drwy wledydd Prydain benbaladr. Roedd pentref Trefor wedi tyfu yn aruthrol o osod y garreg sylfaen gyntaf yn 1856 a'r galw am siop yn amlwg. Aeth y cwmni o nerth i nerth ac agor canghennau yng Nghlynnog, Llanaelhaearn a Llithfaen.

Roedd y 'Stôr', fel y'i gelwid, yn cydweithio â'r chwarel i ddod â nwyddau i mewn ar longau gwag oedd yn dod i nôl y cerrig ithfaen o'r gwaith. Byddai'r chwarelwyr yn gweithio am ddim yn eu tro yn y Stôr yn Llithfaen ar ôl gweithio diwrnod o waith yn y chwarel yn torri'r garreg. Gyda'r nos oedd oriau agor y Stôr, gan fod y dynion a weithiai ynddi wrth eu gwaith yn ystod y dydd. Byddai dau neu dri ohonynt wrth y cownteri, un arall wrth y ddesg yn cadw cyfrifon yn y lejar mawr, cyn rhoi entri yn llyfr bach y cwsmer. Gwneid y talu ar nosweithiau tâl y chwarel, nos Wener neu nos Sadwrn a byddai'r lle yn llawn hyd ddeg o'r gloch y nos.

Yn ystod y dydd roedd llu o siopau eraill ym mhentref Llithfaen – Cambrian, siop Miss Jones, becws Gwalia, Alpha Stores, Fron, y Faenol, Llys Mair, barbar a chrydd, siop Tudor ac, wrth gwrs, siop Morfudd, sef siop Pen-y-Groes. Atyniad digamsyniol y Stôr oedd y difidend bondigrybwyll. Gan fod gan y teuluoedd siâr yn y busnes roedd y stôr neu'r coparét yn talu hanner coron yn y bunt o ddifidend ar yr arian a wariwyd yn y siop.

Ar yr ail o Fai, 1950 aeth Lena Pritchard i weithio i'r Stôr oedd yn dal, bryd hynny, yn Compton House. Roedd y Stôr yn cyflogi dau – Harold James yn rheolwr a Lena yn gweithio yno. Bryd hynny, deuai nwyddau o Drefor mewn fan. Roedd cig a nwyddau ffres yn dod i ordor o'r siop yn

Yr hen bost ar y Groes yn Llithfaen,
a rhan o Siop Tudor i'w gweld drws nesa.

Nhrefor yn ddyddiol. Roedd gan bob teulu rif a chedwid cofnod o wariant bob teulu yn y llyfr cownt a fyddai'n cael ei anfon i Drefor lle'r oedd y cowntiau yn cael eu cadw. Telid y difidend bob chwe mis. Chwe wythnos cyn talu'r difidend, byddai arwydd yn y siop bod angen clirio'r cownt erbyn nos Wener. Byddai hyn yn rhoi cyfle i bawb dalu'r holl arian oedd wedi ei 'roi i lawr' cyn cau'r cyfrifon. Yn fuan wedyn symudodd y Stôr i hen siop Miss Jones, cyn cau yn derfynol ym mis Hydref 1969.

Roedd yn amhosibl i'r cwmni cydweithredol gystadlu â siopau megis Kwiksave oedd yn agor yn y trefi. Roedd gan y teuluoedd geir erbyn hyn ac roedd hi'n gymaint haws crwydro i chwilio am neges a bargen a phawb wedi cynhyrfu efo'r siopau newydd, gwerthu bob dim, yma. Erbyn hyn roedd siop Tudor, y barbar a'r crydd, Fron a Cambrian wedi cau hefyd ond roedd siop tsips wedi agor yn y pentref! Parhau fu hanes y dirywiad ac erbyn 1980 doedd ond siop Pen-y-Groes yn gwerthu nwyddau yn Llithfaen a mwy a mwy o'r pentrefwyr yn siopio y tu allan i'r pentref.

Erbyn 1996 roedd argyfwng yn y siop a'r perchennog yn

Stôr Trefor heddiw

ymddeol fel postfeistres ac am werthu'r adeilad. Trefnodd cyngor cymuned Pistyll holiadur i bob aelwyd yn yr ardal a chafwyd ymateb calonogol iawn iddo. Gwnaed ymholiadau gan y cyngor cymuned i Gyngor Dosbarth Dwyfor am arian ac addawyd £10,000 o'i raglen Gwella Adnoddau Cymunedol. Ar y pryd roedd yr hen gyngor Dwyfor yn dirwyn i ben ac yn cael ei lyncu gan Gyngor Gwynedd. Roedd £100,000 o adnoddau yn cael eu rhannu yn y gronfa ac aeth pethau yn o dynn rhwng cais o Lanbedrog a chais y siop. Bu dadlau brwd rhwng J. Llyfnwy Jones a chynghorydd Llanbedrog a'r bleidlais yn y diwedd yn gyfartal. Aeth pleidlais y cadeirydd, y diweddar Brian Evans, o blaid cais Llithfaen. Roedd menter gydweithredol yn y broses o gael ei ffurfio ac addawodd y cyngor y byddai'n anrhydeddu'r grant i'r cwmni newydd hefyd.

Dangosodd y pentrefwyr eu cefnogaeth i'r cwmni cyfyngedig trwy warant newydd 'Menter yr Eifl'. Mewn cyfarfod ar nos Lun, 22 Ionawr, 1996 etholwyd pwyllgor llywio, sef, John Llyfnwy Jones, Ken Jones, Jessie Ellis, Kelvin Pleming a Myrfyn Roberts i symud ymlaen i brynu'r adeilad. Trwy drugaredd roedd y perchennog yn fodlon dod i drefniant efo'r cwmni newydd a chadw'r siop yn agored nes byddai'r arian wedi'i godi, a'r cwmni yn barod i redeg y siop.

Mary Jones, yr Aber a Griffith Roberts, Bryn Awel – dau o hen drigolion Llithfaen o flaen y Post ar y Groes, ar ddechrau'r ugeinfed ganrif.

Cafwyd addewid o £9,500 gan gwmni Cymad, £5,000 i brynu'r adeilad a £4,500 i wneud gwelliannau iddo, yn arbennig ar y to. Cafwyd cymorth gan Ganolfan Cydweithredol Cymru Cyf i roi'r cwmni ar ben ffordd efo manylion sefydlu'r fenter.

Cafwyd ymateb anhygoel gan y pentrefwyr, gyda naw o bob deg cartref yn cefnogi'r fenter a dod yn aelodau o'r cwmni. Bu'r pwyllgor yn ymweld â phob cartref yn yr ardal a phedair aelwyd yn unig oedd heb gefnogi'r fenter o gwbl. Wrth ddod yn aelod roedd £10 yn mynd fel tâl aelodaeth a £90 yn rhodd ddi-log i'r cwmni. Casglwyd £6,500 gan y pentrefwyr ac roedd y fenter ar ei thraed. Ar y dechrau roedd y pwyllgor yn rhedeg y siop ac yn mynd i John Edwards ym Mangor i brynu nwyddau. Bu'n rhaid rhoi £600 fel 'bond' ymlaen llaw i gael yr hawl i werthu papurau newydd.

Roedd ychydig o broblemau yn codi o orfod gadael y papurau nad oedd wedi'u gwerthu mewn bwndel taclus y tu allan i'r siop er mwyn iddynt gael eu codi yn blygeiniol y bore canlynol. Pan ddaeth y cyfrifon diwedd wythnos, sylweddolwyd nad oedd y papurau yno i'r cwmni eu codi. Beth tybed oedd yn digwydd iddynt? Ar ôl ychydig o waith ditectif darganfuwyd bod gŵr oedd wedi symud i'r pentref yn helpu ei hun i'r papurau a'u defnyddio i bapuro waliau ei dŷ, a hyd yn oed yn eu defnyddio fel cyrtans!

Cafwyd gwirfoddolwyr i weithio yn y siop yn ystod yr wythnos a'r pwyllgor yn gweithio fwrw Sul. Hysbysebwyd am denant a daeth Ffion Llywelyn i'r adwy a dod yn bostfeistres ac yn siopwraig ym mis Awst 1996 gan dalu

Ffion y siopwraig, gyda Dylan a Mared.

rhent isel i gwmni Menter yr Eifl. Yn y cyfnod hwn gefeilliwyd â phentref Cefnpennar gan fod mentrau cydweithredol ar waith yno hefyd. Bu'r ddwy gymuned yn ymweld â'i gilydd a chafwyd llwy addurniedig hardd iawn gan drigolion Cefnpennar ar un ymweliad â'r siop.

Yn ddiweddarach yn y flwyddyn enillodd Menter yr Eifl wobr canmoliaeth uchel gan Wobrau Menter Gymunedol Banc y Midland. Bu Ffion yn denant ar y siop hyd fis Mai 2000. Un o denantiaid y siop yn 2003/2004 oedd Anwen Jones. Cafodd Anwen hwyl garw ar redeg y siop a'r post i'r graddau iddi gael gwobr gan Swydda'r Post. Enwyd Siop Pen-y-Groes fel siop oedd yn haeddu gwobr ardaloedd gwledig gan ei bod yn rhoi gwasanaeth da i'r gymuned, ac Anwen ei hun mor glên bob amser. Derbyniodd Anwen y wobr yn y Café Royale yn Llundain a Swyddfa'r Post yn talu'r costau i gyd!

Bu Sioned Roberts yn denant yn y siop am ddwy flynedd. Bu Sioned yn gweithio am tua deng mis ar ddydd Sadyrnau ac ambell brynhawn, cyn cael ei phen-blwydd yn un ar bymtheg oed. Pan gafodd ei phen-blwydd derbyniodd denantiaeth y siop a'i rhedeg yn llwyddiannus iawn am ddwy flynedd. Roedd Sioned yn un o wragedd busnes ieuengaf Cymru yn y cyfnod. Tua'r un adeg, daeth Ashley Hughes yn Nefyn hefyd yn ŵr busnes ifanc iawn, gan ailagor Hen Bost, Nefyn yn siop gwerthu nwyddau swyddfa. Un ar bymtheg oed oedd yntau.

O hynny ymlaen bu nifer o denantiaid yn y siop a'r post a'r pwyllgor yn weithgar iawn yn cynnal y busnes rhwng tenantiaid. Yn ystod y cyfnod hwn daeth i'r amlwg bod siopau mawrion y trefi yn effeithio ar siopau bach ein pentrefi ac nad oedd modd cynnal bywoliaeth mewn siop fechan.

Daeth yr ergyd farwol pan gyhoeddodd y Post eu bod yn cau'r gangen yn Llithfaen ac yn defnyddio swyddfa symudol. Daeth hanner cant o'r pentrefwyr i gyfarfod cyhoeddus, ond ofer fu protestio a chaewyd y Post ar 14eg Chwefror, 2009. Sylweddolwyd hefyd bod y cwmni mewn dyled oherwydd bod dŵr, na wyddai neb amdano, wedi bod yn gollwng o'r pibau a'r bil dŵr dros £650 a dim incwm yn dod i mewn. Doedd dim dewis ond ystyried gwerthu'r adeilad.

Roedd teimlad o ddiymadferthedd llwyr wrth feddwl bod siop olaf y pentref yn mynd i gau. Roedd yr ysgol wedi mynd, dau gapel ac eglwys wedi'u troi yn dai a'r doctoriaid lleol wedi rhoi'r gorau i gynnal meddygfa yn y pentref. Roedd y Post wedi cau eu gwasanaethau yn y pentref. Yr unig beth oedd yn dal i fynd yma oedd Tafarn y Fic.

Yn y cyfnod pan oedd y siop wedi cau roedd yn rhaid bod yn anhygoel o drefnus, gan fod yn rhaid mynd i Nefyn i nôl peint o lefrith neu dorth o fara hyd yn oed. Rhaid oedd sylweddoli y byddai hon yn hoelen arall yn arch y pentref, ond hefyd nad oedd digon o fusnes i gynnal teulu yn y siop. Roedd yn rhaid meddwl am ffordd wahanol o gynnal y gwasanaeth. Anodd oedd codi llais yn y cyfarfodydd cyhoeddus, dim ond i leisio'r diymadferthedd y soniwyd

Dan Hughes, Robat Gwilym a Mel a Rhian Owens wrth i'r Post gau yn 2009.

amdano.

Roedd y ffaith fy mod fel athrawes yn wynebu arolygiad ddechrau Hydref a'r gŵr yr un modd yn ddiweddarach yn y tymor yn stwmp ar stumog hefyd. Fel athrawes, oedd yn ferch i ddau athro, doedd gen i mo'r syniad lleiaf sut i redeg siop! Cafwyd cyfarfod ar 23 Mehefin lle dywedwyd os nad oedd rhywun am ddod ymlaen i gymryd y siop y byddai'r adeilad yn cael ei werthu o fewn y mis. Roedd amser damcaniaethu ac athronyddu drosodd!

Cafwyd cyfarfod anffurfiol rhwng Kelvin, y gŵr, a minnau a dau deulu arall – Lisbeth a Peter James, oedd wedi ymddeol i'r pentref a Dafydd ac Ann Roberts, Tan yr Hafod. Penderfynwyd na allem adael i'r adeilad fynd heb ymdrech ac aethpwyd ati i lunio holiadur a mynd o gwmpas bob tŷ yn y pentref yn bersonol i weld beth oedd adwaith pawb i'r argyfwng yn y siop, gan ddilyn camau Menter yr Eifl ddeng mlynedd yn gynharach.

Daeth atebion cadarnhaol a gonest fel o'r blaen a'r mwyafrif yn gweld bod siop yn gaffaeliad i bentref ond yn cadarnhau hefyd mae ychydig o wariant wythnosol fyddai'n digwydd yn y siop – nid oedd posib troi llanw Tesco ac

Asda! Felly roedd gennym gwsmeriaid ond doedd gan yr un ohonom syniad sut i agor siop, heb sôn am ei rhedeg wedyn. Rhaid oedd cael gair a gwybodusion ac entrepreneuriaid ein cymdeithas. Bu sgwrs â Rhys, Siop Heulwen, Edern; Mel Owens, fyddai'n dod yn achlysurol i weithio yn y Post yn Llithfaen; Myrddin ap Dafydd a John Pritchard yn gymorth garw i gadw'r hyder ar ôl yr iwfforia cychwynnol. Cynhaliwyd ein cyfarfod ffurfiol ar y degfed ar hugain o Orffennaf 2009 ac etholwyd swyddogion – Dafydd Roberts yn gadeirydd, Peter James yn drysorydd a minnau yn ysgrifennydd.

Penderfynwyd glanhau'r adeilad ar yr ail o Awst, taro tra oedd yr haearn yn boeth ac agor ar ddydd Iau, 13eg Awst gan fod yn rhaid dechrau gwneud arian er mwyn talu rhent i Fenter yr Eifl. Roedd Lilian ac Ifan Hughes, Garej Ceiri yn fodlon cyflenwi llefrith a phapurau i'r siop a Becws Glanrhyd yn hapus i gyflenwi archeb fara ond i rywun fynd i nôl y nwyddau o Lanaelhaearn. Roedd Anwen Jones, a arferai gadw'r siop a'r post yn fodlon helpu efo'r llyfrau. Cynhaliwyd cyfarfod ar y trydydd o Awst i bawb oedd â diddordeb mewn gwirfoddoli neu helpu mewn unrhyw ffordd. Cafwyd benthyg arian yn ddi-log gan gymwynaswyr yn y pentref a gwariwyd yr arian ar brynu stoc. Penderfynwyd hefyd ar system o basio'r goriad i'r un fyddai ar y shifft nesaf ond un er mwyn sicrhau bod digon o gyfle i chwilio am oriad pe na bai'r system yn gweithio. Cynhyrchwyd taflen i hysbysu'r agoriad a rhoi'r newydd da i'r cyfryngau.

Felly, yn y pythefnos yna roedd criw o bobl yn eu hoed a'u hamser nad oedd yn deall dim am fyd busnes, heb gyfalaf cychwynnol wedi penderfynu agor siop! Dwi'n siŵr bod hen drafod ar hirhoedledd y fenter!

Cafwyd wythnos o ras gan gwmni R. H. Evans, wyau Tir Bach, Harlech a Blakemore, Glanrhyd a Garej Ceiri oedd yn fodlon cyflenwi nwyddau ar ein cyfer. Yna daeth Eisteddfod

Genedlaethol y Bala a dyma feddwl yn fy niniweidrwydd y byddai rhyw gorff cyhoeddus yn fodlon helpu menter mor bwysig ag ailagor siop bentref yng nghefn gwlad Cymru. Er mynd o gwmpas pebyll y Cynulliad, y Loteri a Chyngor Gwynedd, yr un oedd y gân. Am fod gennym syniad a bod y prosiect yn mynd i ddigwydd beth bynnag, nid oedd yn bosibl cael arian gan neb. Roedd digon o grantiau i feddwl am syniadau, i ddatblygu syniadau nad oeddem wedi meddwl amdanynt, ac i arallgyfeirio ond dim dimai goch i ddatblygu syniad oedd yn bod eisoes!
Dyma ddyfyniadau perthnasol o ddyddiadur 2009:

8 Awst	Sortio silffoedd a dechrau paentio waliau'r siop.
9 Awst	Argraffu a dosbarthu taflenni'r siop.
10 Awst	Mynd i'r dre i sortio insiwrans y siop. Kelvin yn ll'nau llofft y siop. Cyfarfod Anwen am 5 a gwneud ordor derfynol ar gyfer dydd Iau. Dysgu sut mae'r til yn gweithio.
11 Awst	Mynd i'r dre wedyn i sortio Hywel 'Rynys, Harlech a ffrwythau Ian Roberts. Ffonio Ffion ynglŷn â'r cacennau.
12 Awst	Codi Lis yn Llanaelhaearn am ddeg o'r gloch a mynd yn syth i Blakemore. Gwario tua £250!!! Kelvin yn cyfarfod John Caerau ac wedi gwirioni efo'r gwn prisio! Wrthi tan 2 yn prisio a gosod. Mynd efo Lis wedyn i hel manion o Lidl ac Iceland i lenwi ychydig ar y silffoedd ac i Harlech i godi'r archeb. Wrthi tan tua 6 yn gosod y rheini. Mynd i Plas i nôl wyau a nôl y cacennau gan Ffion. Nôl i'r siop am hanner awr wedi saith i siarad efo dyn Radio Cymru ac arwyddo'r brydles. Mynd i nôl Indians i swper ac yn syth i 'ngwely.
13 Awst	Kelvin yn nôl llefrith a bara. Finna'n mynd at

Noson cyn agor y fenter newydd – Lisabeth James a Kelvin Pleming yn cael trefn ar y nwyddau.

> R. H. Evans ac Ian Roberts. Cyrraedd yn ôl am 5 munud i wyth. Mrs Blair wedi bod! Pethau'n brysur iawn yn y bore. £178 trwy'r til. Dipyn bach o boen efo'r til – cloi weithiau – *human error*! Kelvin wedi nôl mwy o bapur ddwywaith, mwy o lefrith dair gwaith a finna'n nôl mwy o fara a chig.

Roedd y siop wedi agor!

Bu cyfnod wedyn o geisio rhoi trefn ar bopeth, llenwi ffurflenni'r cyflenwad papurau newydd, cofrestru sefydliad busnes a dal i siarad efo gwahanol gyrff ynglŷn â chael grant. Cysylltwyd hefyd â Mike Williams o Ganolfan Gydweithrdol Cymru a fu'n allweddol mewn cofrestru unigolion fel cwmni i redeg y siop. Daeth Anwen Jones hefyd yn aelod o'r cwmni cydweithredol trwy warant.

Ar ôl bod yn agored am ychydig roeddem yn ymwybodol na allai'r siop redeg ar wirfoddolwyr yn unig. Roedd angen rhywun sefydlog yn y bore i gadw'r sioe i fynd. Dangosodd Ffion Griffiths, perchennog cwmni Sinamon a chyflenwr cacennau i'r siop, ac a fu'n denant i Menter yr Eifl am gyfnod, ddiddordeb ond roedd yn amlwg oddi wrth y cyfrifon na allem gyflogi heb ddyblu ein hincwm. Roedd yr holl elw yn mynd i lenwi silffoedd y siop.

Daeth Lea, oedd yn gweithio i AOHNE i'r adwy a'n cynorthwyo i wneud cais am grant. O'r diwedd cawsom gorff oedd yn deall beth oedd ein hanghenion a chorff oedd yn fodlon ein cefnogi yn ariannol. Yn ein cyfarfod ym mis Tachwedd, dri mis ar ôl agor, penderfynwyd talu'r arian a fenthycwyd yn ôl fel ein bod yn gwybod nad oedd arnom arian i neb. Ar y deunawfed o Dachwedd cafwyd grant gan AOHNE i gyflogi am 20 awr yr wythnos a phrynu oergell newydd a ffôn. Roedd hyn yn sicrhau ein bod yn gallu cynnal oriau agor o 8 tan hanner dydd ac o 3 tan 7 yn y prynhawn. Dyma un o'n hegwyddorion cychwynnol, sef bod yn rhaid i'r siop fod yn agored ben bore – er mwyn dal y tri bws ysgol sy'n mynd o'r pentref. Hefyd yr oedd hi'n hanfodol sicrhau ein bod yn agored gyda'r nos pan oedd pobl yn dod o'u gwaith ac yn hwylio i wneud swper.

Penderfynwyd gwahôdd Siôn Corn i'r siop y Nadolig hwnnw a braf oedd gweld Anti Lena, fyddai'n arfer gweithio yn y stôr bron i hanner canrif ynghynt, yn eistedd ar ei lin! Roedd hyn yn ffordd o ddiolch i'r gymuned am fod yn amyneddgar efo'n hymdrechion trwsgl i ddechrau busnes o ddim!

Ar ddiwedd y flwyddyn gyntaf roedd gennym tua £3,000 yn y banc, y benthyciadau i gyd wedi'u talu a gwerth £2,200 o stoc ar y silffoedd. Ar ôl y flwyddyn gyntaf honno sylweddolwyd nad dipyn o hwyl oedd hyn oll ond bod y pentref, erbyn hyn, yn dibynnu ar y siop ar gyfer manion bethau. Roedd hi'n ddyletswydd arnom bellach i gadw'r fenter i fynd. Roedd hi'n hawdd gweld hefyd bod siop y pentref yn fwy na lle i gael torth, papur a pheint o lefrith. Roedd yr elfen gymdeithasol yn gref iawn a braf oedd gweld y pentref yn dychwelyd i'r hen batrwm cymdeithasol – llafnau'r ysgol uwchradd yn hel at ei gilydd yn y bore efo sosej rôl Glanrhyd a photel o Gôc, dau neu dri o ddynion yn eistedd ar y fainc ganol bore yn rhoi'r byd yn ei le a'r merched yn stopio am sgwrs wrth basio. Deuai'r bobl ifanc wedyn yn ôl gyda'r nos ar y fainc cyn mynd i'r cae am gêm. Roedd lle eto i roi posteri digwyddiadau yn y pentref, lle i atgoffa hwn a llall am wahanol bethau oedd yn digwydd yn y pentref a lle i adael ambell barsel os nad oedd y perchennog adref. Roedd pobl a phlant i'w gweld eto ar y Groes yn Llithfaen. Mae'n ganolfan hefyd i newydd ddyfodiaid i'r pentref ddod i gyfarfod pobl ac i ddysgu ychydig am ein cefndir ac i ddefnyddio'r Gymraeg mewn ffordd naturiol.

Cyfansoddodd Edwin Jones benillion pan oedd y siop yn flwydd oed:

Mewn cornel fach yn Llithfaen
Mae siop arbennig iawn,
Ar agor mae bob bore
A hefyd bron bob p'nawn.

Ar gau y bu am gyfnod
Wel, dyna gyfnod tlawd,
Dim siop i brynu papur,
Margarine na blawd!

Bu llawer siop yn Llithfaen
I lawr o oes i oes.
Ond dim ond un siop sydd ar ôl
Sef siop Pen-y-Groes.

Trigolion 'nawr yn hapus
Cael lle i fynd am sgwrs.
Beth bynnag wnewch gyfeillion,
Cofiwch ddod â'r pwrs!

Cafwyd grant arall i sicrhau cyflogaeth Ffion yn y boreau am dair blynedd gan AOHNE. Roedd hyn hefyd yn ariannu cyflogaeth Siân Roberts ar benwythnosau. Mae cyfraniad y ddwy wedi bod yn amhrisiadwy i redeg y siop, sicrhau dilyniant a gofalu bod y pentrefwyr yn cael gwasanaeth

Lena Pritchard, Megan Roberts, Sianelem Pleming, Edwin Jones a Ffion Griffith yn torri cacen pen-blwydd y fenter yn un oed.

dwyieithog. Erbyn hyn, nid oeddem felly yn ddibynnol ar wirfoddolwyr ond am gymorth ar brynhawniau yn ystod yr wythnos. Dros y ddwy flynedd nesaf roedd yr arian yn mynd yn ôl ar silffoedd y siop gan geisio dyfalu beth fyddai anghenion y cwsmeriaid fel nad oeddem yn gwneud colled ar y nwyddau. Roeddem hefyd yn gallu cadw'r prisiau yn isel gan nad oedd yr un ohonom yn gwneud elw personol a neb yn dibynnu ar y fenter am fywoliaeth. Ar ôl i'r siop fod yn agored am flwyddyn roeddem yn dal i gefnogi busnesau lleol fel J. H. Owen, Harlech, Sinamon, Oinc Oinc, Ian Roberts, R. H. Evans a Snowdonia Supplies. Roedd Meinir, Cefn Gwynus a Liz, Tŷ'r Ysgol yn gwneud cardiau, ac roeddem wedi ehangu ein gorwelion i gynnwys cynnyrch Blas ar Fwyd, becws Henllan, y Gyfrinach Felys a Derrimon ac wedi prynu peiriant diod cynnes Nescafe to Go, peiriant gwneud ysgytlaeth a phopty ar gyfer pasteion a chacennau.

Y cam nesaf oedd gwneud cais am drwydded i werthu alcohol. Ein bwriad o'r cychwyn oedd gwerthu gwin a chaniau yn unig a rheoli'r sefyllfa yn dynn. Gan ein bod i gyd, fel cwmni, yn gweithio gyda'r ieuenctid yn yr ardal – trwy'r ysgol Sul, clwb CIC ac Aelwyd Gwrtheyrn – roeddem yn ymwybodol iawn o'r peryglon o werthu alcohol ond hefyd yn ymwybodol iawn bod yn rhaid i'r siop fod yn hunan gynhaliol ar ôl i'r grant AOHNE ddod i ben. Doedd dim elw i'w wneud o werthu sigaréts ond roedd elw alcohol yn fwy, hyd yn oed wrth werthu ar brisiau oedd yn cymharu â siopau mwy. Cafwyd cydweithrediad Tafarn y Fic wrth geisio am drwydded ac Iwan, Foel yn mynd yn oruchwyliwr dros y cwmni. Hyd yn hyn mae'r drefn yn gweithio yn wych ac ambell i botel yn mynd ar nos Wener a nos Sadwrn. Rhaid hefyd dalu teyrnged i ieuenctid yr ardal. Nid oes yr un o'r bobl ifanc wedi trio cymryd mantais, er bod ambell un ohonynt dros ddeunaw oed. Ein nod yw cynnal y gwasanaeth sy'n cael ei roi i'r pentref gan gadw ein prisiau mor isel ag sy'n bosib.

Cafwyd ymwelwyr o fri yn ymweld â'r siop dros y flwyddyn ddiwethaf, Dr Tony Jewell, Prif Feddyg Cymru, a Jane Davidson, cyn-A.C. o Gaerdydd bell ac mae nifer o bobl yn galw i mewn wrth basio ar deithiau i Lŷn wedi clywed am y fenter gydweithredol. Rhyfedd hefyd oedd ymweld yn ystod Eisteddfod yr Urdd yn Llannerch Aeron â siop gymunedol Blaenplwyf a dychryn wrth gerdded i mewn eu bod yn gwerthu bron iawn yr un nwyddau ag oedd yn siop Pen-y-Groes, a'r rheini wedi'u cyflenwi gan yr un cwmnïau! Roedd y ddwy fenter wedi datblygu yn hollol annibynnol a'i gilydd ac wedi esblygu yn yr un ffordd!

Yn fuan iawn tyfodd y siop i fod yn fwy na'r adeilad a sylweddolwyd bod rhaid gwneud ymdrech i ddefnyddio'r lle cyfyng yn well. Roeddem yn gwerthu mwy o fwyd oedd angen ei gadw yn oer ac roedd yr un oergell yn rhy fach i ddangos y nwyddau ar eu gorau. Fel roedd y cwmni yn trafod beth i'w wneud ynglŷn â hyn a sut i gadw'r nwyddau yn oer a medru eu harddangos yn addas daeth Jane, Post

Morfa i'r adwy. Roedd yn gwneud gwaith llanw yn yr ysgol a dywedodd eu bod yn ailwampio eu siop a gofyn oedden ni angen ffrij – roedd hi i'w cael am ei nôl. I ffwrdd â Dafydd a Glyn yn y pic-up i Morfa a bu cryn lusgo a chwysu cyn bod yr oergell 'newydd' yn ei lle! Yn ystod y ddwy flynedd ddiwethaf cafwyd ymgynghoriad gan arbenigwr manwerthu ar y ffordd i wella'r siop a chafwyd ac ymgynghoriad buddiol 'SWOT' gan Menter a Busnes ar syniadau ar y ffordd i symud ymlaen a dadansoddi teimladau'r gymuned tuag at y siop. Daeth nifer o bwyntiau dilys yn dilyn hyn.

Ers blwyddyn bellach yr ydym yn cyflenwi hamperi croeso i 'Natural Retreats' y cwmni sydd yn rhedeg Fferm y Pistyll ac mae hyn wedi bod yn help garw i gadw'r fenter i fynd. Byddwn yn cyflenwi tua 7 o hamperi yr wythnos yn y gaeaf a hyd at ddwsin yn yr Haf. Mae'r hamperi yn cynnwys cynnyrch lleol, llefrith, menyn a chaws o'r ffatri (Hufenfa De Arfon), bara Henllan, jam Snowdonia Supplies, wyau Tir Bach a bara brith Sinamon.

Erbyn hyn, ddwy flynedd a hanner ers cychwyn y fenter mae'r siop wedi sefydlu'i phatrwm ei hun. Yr ydym yn nôl papurau, llefrith a bara o Lanaelhaearn bob dydd, yn nôl stoc o Blakemore yn wythnosol. Daw'r nwyddau eraill i'r siop yn wythnosol gan John Owen a'i fab Iolo, Blas ar Fwyd, Ian Roberts, R. H. Evans, Tir Bach, Sinamon, Oinc Oinc, Gwilym Plas, a byddwn yn codi nwyddau achlysurol gan Derrimon ac S. Webbs ym Mhorthaethwy. Mae Annie Mary, Cefn Gwynus yn dod â chardiau ei merch, Meinir, tatws a *Llanw Llŷn* fel bo'r galw. Mae'r trosiant yn dal i gynyddu yn raddol. Byddwn yn cyhoeddi cylchlythyr dair gwaith y flwyddyn i dynnu sylw at ddatblygiadau diweddar yn y siop. Mae'r siop yn agored bob dydd o'r flwyddyn, a chewch lasiad o sieri fore 'Dolig os ydach chi wedi anghofio rhywbeth allweddol ar gyfer y wledd! Yr ydym yn anelu at gael cyfarfod o gwmni'r siop yn fisol a diwrnod glanhau hefyd yn fisol. Byddwn yn cynnal noson i'r gwirfoddolwyr wyntyllu eu hofnau bob deufis.

Ar hyn o bryd mae llawer o bethau positif ynglŷn â Siop Pen-y-Groes. Mae'n ganolfan gymdeithasol am saith awr y dydd, yn lle i bobl alw, i ddweud eu cwyn, i ddweud am eu llwyddiannau, yn cydlynu digwyddiadau yn y pentref. Mae'n lle i gael pethau angenrheidiol fel llefrith, bara, papur yn ogystal â rhai pethau llai cyfarwydd fel cwscws, hymus a llaeth enwyn ac yr ydym yn agored o 7:30 y bore hyd 7 yr hwyr ac eithrio tair awr ynghanol y prynhawn. Hoffem, fel cwmni feddwl ein bod yn cefnogi ac yn helpu mentrau lleol eraill. Mae elfen o ofalaeth hefyd yng ngwasanaeth siop ynghanol y pentref. Os nad ydi rhywun yn dod i nôl ei bapur, byddwn yn codi'r ffôn i weld os oes rhywbeth yn bod.

Ni cheir y da heb y drwg ac mae problemau o hyd yn ein hwynebu fel cwmni. Mae aelodau'r cwmni yn brysur ac weithiau mae pethau angen eu gwneud ond mae'n cymryd mwy o amser i'w gwneud gan fod gwaith bob dydd yn gorfod cael blaenoriaeth. Mae llai o wirfoddolwyr erbyn hyn nag oedd ar y dechrau ac er nad oes angen cymaint o oriau gwirfoddolwyr ar ôl i Siân gael ei chyflogi ar y penwythnosau mae hyn yn rhoi pwysau ar y gwirfoddolwyr sydd ar ôl. Yr ydym yn ffodus, fodd bynnag, bod y gwirfoddolwyr selog sy'n dal i gynnal y gwasanaeth yn y prynhawniau yn gallu cynnig gwasanaeth dwyieithog. Byddai cael ychydig mwy o wirfoddolwyr Cymraeg yn gwneud bywyd yn llawer haws.

Mae'r gefnogaeth gan y pentref yn dda iawn, ond biti na fuasai pob aelwyd yn cefnogi'r siop mewn rhyw fodd. Gellir gweld, pan fydd argyfwng fel diwrnod o eira, pan na all ceir fynd o Lithfaen, a throsiant y siop yn dyblu, nad yw pawb yn cefnogi'r siop pan fo'r hinsawdd yn ffafriol. Dyma rai o'r ffactorau oedd yn digalonni'r tenantiaid cynt, mae'n siŵr.

Fel yn adeg y coparét hanner canrif yn ôl mae cysgod y siopau mawrion fel cydyll uwchben mentrau tebyg i Siop Pen-y-Groes drwy'r amser. Yr ydym o hyd yn ymwybodol o afael yr archfarchnadoedd ar ein cymunedau a lori Tesco

Direct yn ddigon hy i barcio o flaen y siop a dod i ofyn am gyfeiriad neu'i gilydd. O leiaf bydd gyrwyr Parcelforce yn prynu siocled wrth holi! Ni all mentrau bychain gystadlu â chyflyru seicolegol yr archfarchnadoedd. Wrth siopio yn yr archfarchnadoedd rhaid cyfaddef bod y BOGOF bondigrybwyll yn fargen, a'r arwyddion mawr yn datgan hynny yn amhosib eu hanwybyddu, ond wrth lenwi'r fasged â'r bargeinion yma, ydan ni'n sylweddoli bod y nwyddau sydd ddim yn cael eu gwthio i'n basgedi yn ddrutach na'r un nwyddau yn siop y pentref? Mewn un o'n cylchlythyrau tynnwyd llun basged oedd yn rhatach i'w phrynu yn Siop Pen-y-Groes nag yn Asda na Tesco!

Mae parcio tu allan i'r siop hefyd yn broblem, ac ambell gar yn parcio yno am ddyddiau sy'n golygu ein bod yn colli pobl yn pasio ac yn stopio ar hap. Y broblem fwyaf sy'n ein hwynebu, gan ein bod wedi cynyddu'r stoc, yw nad yw'r siop yn ddigon mawr ac mae angen gwaith ar yr adeilad eto. Mae'r hinsawdd economaidd yn gwasgu hefyd ac yn amlwg yn effeithio ar gwmnïau sy'n cyflenwi'r siop. Yr ydym yn mynd i golli nwyddau oherwydd bod y nwyddau sy'n cael eu cyflenwi wrth archebu a'u danfon i'r siop yn aml wedi pasio neu yn agos at eu dyddiad. Mae'r cyfanwerthwyr hefyd felly yn teimlo'r esgid yn gwasgu.

Yn y dyfodol agos mae'r cwmni yn ceisio am ddau grant i adnewyddu'r siop gan geisio defnyddio'r lle i'w lawn botensial trwy roi llawr a golau newydd yn y siop er mwyn ei gwneud yn fwy deniadol ar yr edrychiad cyntaf. Bwriedir prynu cownter newydd, silffoedd pwrpasol sy'n ffitio i'w gilydd o gwmpas yr ystafell i gyd a rhewgell newydd er mwyn cynnig ystod ehangach o fwydydd wedi rhewi. Ar hyn o bryd mae'r holl offer sydd yn y siop yn ail-law. Yr ydym hefyd am gael bocs y tu allan i werthu nwyddau fel glo, priciau tân a choed tân. Mae angen arwyddion i hysbysebu'r siop ar gyrion y pentref. Byddwn wedyn yn gallu codi ymwybyddiaeth o'r siop ymhlith cerddwyr yn yr ardal a

Lena Pritchard yn cael gwasanaeth gan ddwy o wirfodolwyr y siop – Nia ac Ann Roberts.

thwristiaid. Mae angen yr hwb ychwanegol yma arnom i fedru cyflogi dau aelod o staff rhan amser ar ddiwedd cyfnod y grant heb orfod cyfyngu ar ystod stoc y siop.

O ran y dyfodol pellach pwy a ŵyr beth sydd o'n blaenau. Efallai y bydd yr archfarchnadoedd wedi ein trechu, neu efallai y bydd pobl yn gweld gwerth ein sefydliadau gwledig. Byddai'n braf medru prynu'r adeilad drws nesaf oedd yn dŷ i berchnogion y siop ar un adeg er mwyn ehangu'r busnes, ond y risg yw y byddai cymryd gormod o gyfrifoldeb yn peryglu dyfodol yr hyn sydd gennym ar hyn o bryd. Byddai Nain wastad yn dweud, mewn amser o gyni dylai pawb gael 'pacad bach a'i wasgu'n dynn'. Mae'r unig addoldy sydd ar ôl yn y pentref hefyd ar werth, ond stori arall yw honno. Gobeithio y gwêl yr awdurdodau lleol a'r llywodraeth yn ganolog y goleuni a sylweddoli mai rhoi cymorth i bobl sydd wedi cael syniad ymarferol ac eisiau gwella eu cymunedau y dylid ei wneud nid helpu pobl heb syniad i ddatblygu rhywbeth nad yw'r gymuned ei angen.

Mewn byd delfrydol mae angen adeilad mwy arnom a mwy o le i barcio. Byddai cael adeilad mwy i gynnig caffi; ffenest siop, yn llythrennol, ar gyfer arddangos a gwerthu cynnyrch lleol; cael gwasanaethau cownter y Post yn ôl a chael digon o drosiant i allu cael peiriant ATM a 'Paypoint' yn freuddwyd. Ond ym mis Gorffennaf 2009 onid breuddwyd oedd y byddai tri athro, ffermwr, person wedi ymddeol a'i wraig yn gallu rhedeg siop!

Hysbysebu'r atyniad diweddaraf o flaen y siop

A dyma ni yn 2012, bron gan mlynedd a hanner ar ôl cychwyn coparét yn y pentref, yn mynd, ar ôl diwrnod o waith, i weithio yn siop y pentref, sydd dri drws i ffwrdd o'r Stôr wreiddiol yn Crompton House, oherwydd yr un cymhellion, mae'n siŵr, â'n cyndeidiau flynyddoedd yn ôl. Yr unig wahaniaeth mae'n siŵr yw bod y merched hefyd yn gwneud eu siâr erbyn hyn ac nad oes difidend i'w gael!

AILAGOR Y GAREJ
Clynnog Fawr

gan John Roberts

Yn ystod y 1990au, roedd y garej yng Nghlynnog yn cyflawni tri gwasanaeth gwerthfawr i'r ardal:

- gwerthu petrol
- gwerthu ychydig cyfyngedig o nwyddau
- gwasanaeth trwsio ceir (wedi'i leoli mewn rhan o'r adeilad ar rent)

Yn ystod misoedd olaf 1998, penderfynodd perchnogion y garej – am resymau personol (nid am resymau busnes) – i ddod â'r busnes i ben a rhoi'r safle ar werth. Oherwydd y golled amlwg i'r gymdeithas galwodd Owain Williams, sef y Cynghorydd Sir lleol, gyfarfod cyhoeddus i drafod y sefyllfa ar 26 Ionawr, 1999. Yn y cyfarfod penderfynwyd ethol gweithgor o wyth i edrych ar bosibiliadau cynnal, ac o bosibl, ehangu'r gwasanaeth.

'Cefais y syniad o geisio ailagor y garej a'r siop yng Nghlynnog yn dilyn fy ymdrechion i greu gwaith yn yr ardal ar droad y mileniwm,' meddai Owain Williams. 'Roeddwn wedi bod mewn cysylltiad â'r WDA drwy eu swyddfa yn Llanelwy ac wedi cwrdd ag un neu ddau swyddog. Yn wreiddiol, fy mwriad oedd adeiladu tua hanner dwsin o weithdai yn y pentref, e.e. at ddefnydd saer coed, weldiwr, trydanwr ac yn y blaen. Roedd tri neu bedwar o bobl ifanc lleol wedi dangos diddordeb yn hyn o beth.

'Un diwrnod tra'n crwydro o amgylch y pentref gyda un o swyddogion yr W.D.A., gofynnodd a oedd yna hen adeiladau gwag ar gael. Ar ôl petruso ychydig, meddyliais am y garej oedd wedi cau ers tro. Euthum â'r swyddog draw i'w gweld. Dywedodd fod posibiliadau cael grant i'w hadfer a'i phrynu.

GWEITHGOR ADFYWIO CYMUNED CLYNNOG

Holiadur Cymuned Clynnog

1. A ydych chi'n gefnogol i gadw'r garej/orsaf betrol ar agor yn Clynnog?

Ydw ☐ *Nac ydw* ☐

2. A fyddech yn barod i brynu petrol o'r garej bob wythnos?

Byddwn ☐ *Na fyddwn* ☐

2. Pe byddech, oddeutu faint fyddech yn barod i wario'n wythnosol?

Hyd at £5 ☐ *Hyd at £15* ☐ *Hyd at £25* ☐ *Dros £25* ☐

3. Pa nwyddau ychwanegol hoffech eu gweld ar werth yn y garej/orsaf betrol?

____

____

____

4. Pa wasanaethau eraill hoffech eu gweld yn cael eu cynnig o'r garej/orsaf betrol?

____

____

____

5. A ydych yn fodlon rhoi benthyciad tuag at y fenter?

Ydw ☐ *Faint?* £ *Nac ydw* ☐

6. Os oes gennych awgrymiadau eraill byddem yn falch o'u clywed yn y cyfarfod cyhoeddus.

'Dyna pryd y crybyllwyd am y tro cyntaf y posibilrwydd o greu menter gymunedol. Heb ddim oedi y diwrnod canlynol, cysylltais ag adran eiddo Cyngor Gwynedd a'r adran Datblygu Economaidd, cefais ymateb lled gadarnhaol a threfnais gyfarfod ar y safle gyda'r ddwy adran. Ar ôl fy modloni fod gwir botensial gwireddu'r freuddwyd, penderfynais wahodd unigolion a gredwn fuasai'n fodlon ffurfio pwyllgor a threulio llawer o amser yn rhoddi'r cynllun wrth ei gilydd. Roeddwn o'r farn o'r cychwyn cyntaf fod safle pentref Clynnog, hanner ffordd rhwng Pwllheli a Caernarfon yn bwynt cryf gan fod gorsafoedd petrol yn cau lawr led led Gwynedd a Chymru ac y buasai cael siop o safon yn rhan allweddol o'r busnes.

'Yn y cyfarfod cyntaf o'r grŵp, etholwyd John Roberts o Bontllyfni, prifathro Ysgol Syr Hugh Owen yn ysgrifennydd. Un o'r aelodau mwyaf cefnogol a gweithgar oedd R. Gwyn Jones, Gyfelog, a'm dilynodd yn ddiweddarach fel Cadeirydd. Eraill gweithgar iawn oedd Ifor Davies, adeiladwr lleol, Mrs Iola Till a'r diweddar Hywel Edwards. Does dim digon o ofod i roddi sylw haeddianol i bawb ond mae fy niolch yn fawr i bawb a gymerodd ran a rhoi eu hamser.'

Yr wythnos ganlynol, etholwyd swyddogion a chytunodd y criw i alw eu hunain yn 'Gweithgor Adfywio Cymuned Clynnog'. Roedd y gweithgor yn gytûn ei bod yn holl bwysig cynnwys y gymuned gyfan yn y trafodaethau a'r datblygiadau a penderfynwyd anfon holiadur i bob cartref yn yr ardal i bwyso a mesur y farn gyffredinol am adfer y garej.

Ar 9fed Chwefror, aed ati i ddosbarthu'r holiadur dwyieithog i'r cartrefi, gan alw cyfarfod cyhoeddus i setlo ar y camau nesaf ar 23ain Mawrth:

> Pan ddychwelwyd yr holiaduron roedd yn amlwg bod cefnogaeth gref i'r fenter. Cysylltwyd yn syth â chwmni CYMAD, sef cwmni a oedd yn gweinyddu rhaglen Ewropeaidd i hybu datblygiadau economaidd. Cytunodd CYMAD i gynnig gwasanaeth Ymgynghorydd Busnes i gynnal Astudiaeth Dichonoldeb ac os buasai hynny yn ffafriol, yna cynhyrchu Cynllun Busnes ar gyfer

y garej. Penodwyd Ymgynghorydd Busnes i gyflawni'r gwaith a chyflwynwyd Astudiaeth Dichonoldeb, yn unol â'r canllawiau a baratowyd gan CYMAD, ym Mehefin 1999.

Argymhelliad yr astudiaeth oedd bod y Gweithgor yn gwneud cais yn gyntaf i'r Awdurdod Datblygu o dan Gynllun CADEG i brynu'r safle a'r undedau (garej, gweithdy, siop), ac yn ail, i Gist Gwynedd (Cynllun Adfywio Bro Adran Datblygu Economaidd Cyngor Gwynedd) er mwyn ariannu y gost o ail gychwyn a phrynu/adnewyddu'r offer angenrheidiol y garej er mwyn ail sefydlu y busnes petrol os na fydd yr Awdurdod Datblygu yn ei ariannu. Yr Awdurdod Datblygu fyddai'n prynu'r eiddo ac yna'n gyfrifol am rentu'r gwahanol adnoddau i denantiaid addas.

Er bod dymchwel yr hen adeiladau i gyd a chodi canolfan newydd yn apelio, nid oedd hynny yn ymarferol oherwydd cyfyngiadau ariannol. Ar ben hynny, ni allai'r Awdurdod Datblygu brynu safle o dan gynllun CADEG os mai'r bwriad oedd dymchwel ac ailadeiladu. Serch hynny, roedd digon o ofod ar y safle presennol ar gyfer estyniad ac ehangu pellach yn y dyfodol.

Cadarnhaodd yr Astudiaeth fod 'natur, lleoliad a hanes y busnes yn tueddu i gadarnhau y posibilrwydd y bydd y fenter yn medru llwyddo. Mae'r angen yn y pentref am wasanaethau a chyfleusterau ac fe fydd yr orsaf betrol a'r siop yn diwallu yr angen hwn.'

Roedd rhai newidiadau angenrheidiol yr oedd yn rhaid talu sylw iddynt ar fyrder:

Paratoi lle parcio cyfleus ac addas i ganiatau defnydd hwylus i'r siop a'r caffi i'r rhai nad ydynt angen tanwydd; gosod pympiau quad yn hytrach na'r pympiau mono

oedd yno ar y pryd; ystyried lleoliad y pwmp disel.
Credai'r Gweithgor fod ailagor yr orsaf betrol yn allweddol. Nid oedd amheuaeth bod yna alw am wasanaeth petrol i'r gymuned gan nad oes gorsaf betrol yn agos i'r pentref. Ceir pellter o ugain milltir bron rhwng yr orsaf betrol yn Ninas a phentref y Ffôr. Roedd ystadegau cyfredol yn dangos bod cynnydd o 35% mewn trafnidiaeth ar hyd y ffordd A499 (Caemarfon-Pwllheli) ers agor y ffordd A55 ac roedd y farchnad hon yn ychwanegol i'r farchnad leol. Mae'n deg nodi hefyd nad oes gorsaf betrol ym mhentref Trefor, rhyw dair milltir oddi ar y priffordd i gyfeiriad Pwllheli.

Roedd canlyniad yr holiadur yn dangos cefnogaeth o 92% i ailagor yr orsaf, gyda 82% yn barod i brynu petrol o'r garej yn wythnosol. Ar y pryd, roedd rhaid i'r trigolion deithio i lenwi eu cerbydau, ond cafwyd ambell sylw y dylai'r prisiau fod yn gystadleuol, hynny yw, ni fyddai'r teyrngarwch yn parhau yn ddigwestiwn ac roedd y pris yn ffactor allweddol.

Mae'r orsaf betrol nid yn unig yn wasanaeth gwerthfawr, ond mae hefyd yn fodd i ddenu cwsmeriaid, yn drigolion lleol ac ymwelwyr i'r safle er mwyn manteisio ar wasanaethau a nwyddau eraill.

Doedd dim dwywaith bod diwylliant siopau sy'n gysylltiedig â gorsafoedd petrol, wedi cael eu gweddnewid yn ystod y naw degau. Gwelid erbyn hynny ystod eang o wasanaethau a nwyddau mewn siopau o'r fath ar hyd a lled y wlad ac nid oedd reswm pam na fyddai siop yng Nghlynnog yn medru efelychu llwyddiant siopau eraill cyffelyb. Roedd y siop flaenorol yn darparu'r gwasanaeth hwn yn llwyddiannus.

Ceid cystadleuaeth i'r siop oddi fewn i'r pentref gan y Swyddfa Bost, oedd yn gwerthu nwyddau a fyddai ar werth yn siop y garej, e.e. nwyddau cyfleuster – papurau newydd, bara, bwydydd. Ceir siopau eraill yn y dalgylch, e.e.

Pontllyfni, Trefor, Llanaelhaearn, Llithfaen. Er hynny, nid oedd presenoldeb y siopau hyn yn fygythiad i lwyddiant siop y garej. Yn wir, fe fyddai siop y garej mewn safle gref i ddenu'r cwsmeriaid oherwydd y petrol yn ogystal â lleoliad addas ar gyfer parcio ceir. Byddai cynllunio'r siop yn effeithiol yn sicr yn medru denu cwsmeriaid.

Un nodwedd arbennig am lwyddiant y siopau hyn yw'r ffaith eu bod ar agor am oriau hir. Mae ystod o nwyddau yn bwysig ond mae'r cyfleuster o fod ar agor yn hwyr yn fantais ac yn ffactor i lwyddiant siopau garej.

Roedd darn o'r safle eisoes o dan denantiaeth person lleol yn cynnal busnes atgyweirio ceir. Cafwyd awgrym y dylai'r unigolyn barhau yno. Mae gweithdy ceir yn cynnig gwasanaeth i'r gymuned ac roedd yn ymddangos bod y busnes yn llwyddo. Ar y pryd roedd ar gytundeb byr gyda'r perchennog presennol.

Roedd awydd hefyd i gynnal caffi bach yn y garej – nid oedd caffi yn y pentref, ac roedd yr un agosaf yn Llanaelhaearn. Roedd yn rhaid edrych yn ofalus ar nifer y cwsmeriaid posibl a fyddai i gaffi o'r fath, ond byddai'n medru bod yn ffactor arall i ddenu cwsmeriaid i fewn i'r siop gan gofio hefyd bod yna dwristiaid yn ymweld yn gyson ag eglwys y plwyf fel rhan o Daith y Pererinion.

Casgliad yr Adroddiad oedd y byddai gan y fenter gyfle da i lwyddo. Cafwyd astudiaeth bensaernïol gan Maredudd ab Iestyn ac arolwg o'r orsaf betrol ei hun gan Gwmni Roncol, Penmaenmawr, ac er bod rhai problemau yr oedd yn rhaid eu taclo, doedd dim byd y tu hwnt i gyrraedd rhesymol. Roedd nifer o gronfeydd ariannol a chefnogaeth fusnes ar gael i wneud ceisiadau iddynt –

Cynllun CADEG: Awdurdod Datblygu Cymru

Mae'r cynllun hwn yn golygu bod yr Awdurdod yn prynu safle ac yn addasu'r adeiladau ar gyfer eu gosod fel unedau a gweithdai ar gyfer busnesau lleol. Yr Awdurdod fydd yn berchen y safle ac yn ei osod ar rent i'r unedwyr. Mae'r cynllun yn benodol ar gyfer ardaloedd gwledig. Nid yw'n addas ar gyfer adeiladu o'r newydd.

Cynllun Adfywio Bro: Cyngor Gwynedd
Cyllid Ewropeaidd o dan raglen 5b Cymru Wledig. Mae'r cynllun yn golygu ariannu hyd at 75%, at uchafswm o £100k. Fe fyddai'n bosibl i'r Gweithgor brynu'r cyfan ac addasu'r safle, ond fe fyddai rhaid iddynt ariannu 25% ei hunain.

Antur Nantlle
Mae Clynnog Fawr yn dod o dan adain Antur Nantlle ac er nad ydynt yn medru cynorthwyo yn ariannol, maent ar gael i roi cymorth ymarferol, e.e. cyngor ar gyfer ymgeisio am gyllid Adfywio Bro.

Cwmnïau Petrol
Mae cwmnïau petrol yn cynnig cytundebau amrywiol gydag amryw yn rhoi benthyciadau.

Benthyciadau
Mae canlyniadau yr holiadur yn dangos cefnogaeth ariannol y bobl leol i'r fenter ac wrth gwrs mae'n bosibl ennill cefnogaeth y banciau tuag at y cynllun.

Dyna felly oedd y sefyllfa bum mis ar ôl y cyfarfod cyhoeddus cyntaf yn Ionawr 1999. Mae'r hyn a ddaeth i realaeth bum mlynedd yn ddiweddarach ym Mehefin 2004 yn dra gwahanol. Yn ystod y cyfnod hwnnw, roedd pethau yn newid bron yn fisol e.e. roedd rhai ffynonellau ariannol gydag amodau arbennig yn diflannu, ffynonellau eraill gydag amodau newydd yn dod i fodolaeth.

Ymhen y mis ar ôl yr Astudiaeth Dichonoldeb,

cyflwynwyd Cynllun Busnes gan yr Ymgynghorydd Busnes a derbyniwyd y cynllun gan y Gweithgor. Yn ystod y trafodaethau hyn daeth yn amlwg mai'r cynllun doethaf i'r Gweithgor fyddai gosod yr orsaf betrol a'r siop/caffi i denant yn hytrach na chyflogi rheolwr ar ran y Gweithgor. Roedd rhai ar y Gweithgor wedi cael profiad o fod yn aelodau o fusnes cydweithredol ac yn credu mai tenant fyddai yn gweddu orau i natur y busnes yng Nghlynnog. Felly erbyn mis Awst 1999 roedd y Gweithgor yn paratoi'r ffordd i gael dau denant ar y safle:

tenant trwsio ceir oedd eisoes yn bodoli
tenant newydd i'r orsaf betrol a siop/caffi

Roedd y Gweithgor hefyd yn ymwybodol o'r cychwyn cyntaf y byddai cael dau denant ar yr un safle yn gallu bod yn faes sensitif iawn.

Yn ystod yr Hydref 1999, bu'r trafodaethau gyda'r Awdurdod Datblygu yn fuddiol a llwyddiannus iawn. Ym mis Tachwedd 1999 penderfynodd yr Awdurdod Datblygu brynu'r safle a thalu am yr holl addasiadau ac estyniadau i'r adeiladau. Roedd rhai amodau ynghlwm â'r fendith hon fodd bynnag:

- dylid parhau i gefnogi'r uned trwsio ceir oedd ar y safle yn barod
- byddai'r Awdurdod Datblygu yn trosglwyddo cyfrifoldeb gwarchodol dros y safle i'r Cyngor Sir
- byddai'r Cyngor Sir yn gosod y safle ar brydles 21 mlynedd i gwmni lleol (y Gweithgor)
- byddai angen i'r Gweithgor ffurfio Cwmni Cyfyngedig Trwy Warant a gosod y ddwy uned ar y safle i ddau denant

Credwn bod y model hwn, ar y pryd, yn unigryw ac o'r

herwydd bu'n gyfrifol am i nifer o asiantaethau droedio yn araf ofalus. (Roedd trychineb ddiweddar mewn gorsaf betrol ger Dolgellau hefyd yn ffactor rwystredig.) Y broblem fwyaf oedd penderfynu lle roedd cyfrifoldeb y naill yn cychwyn a chyfrifoldeb y llall yn gorffen – potensial ffrwythlon iawn i lu o gyfreithwyr!

Yn ystod y cyfnod hwn roedd y Gweithgor yn amcangyfrif y byddai oddeutu £10,500 o'r costau yn syrthio ar y gymuned leol. Roedd hyn yn cynnwys rhan o gostau pympiau petrol newydd a chostau offer a dodrefn i'r siop a'r caffi. Roedd rhai ar y Gweithgor o'r farn y gellid sicrhau cyllid o wahanol ffynonellau i gyfarfod â hyn ond roedd angen sicrhau cronfa wrth gefn er mwyn argyhoeddi unrhyw gorff bod y Gweithgor o ddifrif! Penderfynwyd cysylltu â'r banc yn ogystal â gofyn i aelodau'r Gweithgor gysylltu yn anffurfiol â'r unigolion a oedd wedi addo cyfraniad ariannol yn yr Holiadur. Cytunwyd ar yr amodau isod i'r benthyciadau:

> Mae'r Gweithgor yn gofyn am fenthyciad di-log am 3 blynedd gyda lleiafswm y benthyciad yn £100, ac yn codi mewn unedau o £100. (Byddai benthyciad di-log o £100 yn gyfystyr â chyfraniad blynyddol o £5 i'r fenter).
>
> Gan mai arian i sefydlu cronfa wrth gefn fyddai'r benthyciadau, yn bennaf, mae'r Gweithgor yn ffyddiog y byddai'n ymarferol i ad-dalu'r benthyciad ymhen 3 blynedd neu dalu llog ar y benthyciadau sy'n aros yn y fenter wedi hynny.
>
> Mewn gair byddai'r benthyciadau hyn yn arwydd o'r ymrwymiad lleol i lwyddiant y fenter.

Bu ymateb ffafriol o gyfeiriad y banc a'r gymuned. (Yn rhyfeddol ddigon, ni fu angen troi yr addewidion yn arian real gan i'r cyfan yn y pendraw gael ei ariannu o ffynonellau y tu allan i'r gymuned.)

Cyflwynwyd cynllun yr Awdurdod Datblygu i'r Cyngor Sir yn Nhachwedd 1999. Ym mis Mawrth 2000 roedd y Gweithgor yn dal i aros am sêl bendith y Cyngor Sir ar y cynllun – yn amlwg roedd rhywun yn rhywle yn troedio yn araf araf ofalus! Serch yr oedi galwyd Cyfarfod Cyhoeddus ar 7fed Mawrth i drosglwyddo'r wybodaeth ddiweddaraf i'r gymuned ac i ffurfio cwmni swyddogol. Penderfynwyd ar 'Cwmni Cymuned Clynnog' fel teitl. Byddai aelodaeth o'r Cwmni yn agored i unrhyw berson lleol ar ôl talu £10 fel tanysgrifiad a daeth 51 yn aelodau o'r Cwmni. Etholwyd wyth ar y Pwyllgor Rheoli gyda'r wyth hefyd yn Gyfarwyddwyr y Cwmni. Yn olaf etholwyd y Cynghorydd Owain Williams, sef prif hyrwyddwr y fenter, yn Gadeirydd. Daeth bendith Cyngor Gwynedd yn y gwanwyn a threuliwyd misoedd haf 2000 yn trafod llu o bwyntiau ymarferol gyda'r pensaer. I gychwyn rhaid oedd sicrhau bod lleoliad y tanciau petrol yn addas ar gyfer yr estyniadau. Diddorol nodi mai dyma'r adeg yr aeth gwerthiant petrol 4 seren allan o ffasiwn a phetrol di-blwm yn dod yn ei le. Roedd angen felly i ailddosbarthu'r tanciau tanddaearol i gyfarfod â'r newidiadau yn y farchnad.

Bu'r Pwyllgor Rheoli mewn cysylltiad answyddogol gyda cwmnïau Roncol, Texaco, Power a Londis er mwyn derbyn cyngor ac ennill profiad yn y maes. Erbyn mis Hydref 2000 pan gyflwynwyd pedwar cynllun gan y pensaer roedd y Pwyllgor Rheoli yn gymharol aeddfed i dderbyn un cynllun gyda mân addasiadau.

Cyn cychwyn ar y gwaith adeiladu roedd angen dod i gytundeb â thenant yr uned trwsio ceir gan y byddai angen cau y busnes am gyfnod tra roedd yr adeiladu yn mynd rhagddo. Roedd angen trafod prun fyddai'r cyfnod gorau i amddifadu'r uned a beth fyddai'r oblygiadau ariannol o safbwynt rhent a cholledion tebygol. Trosglwyddwyd y cyfrifoldeb hwn i'r Cyngor Sir.

Ym mis Mawrth 2001 aed ati gyda chyfreithiwr y cwmni i gychwyn ar y ddogfennaeth gyfreithiol. Gellir treulio oes yn mynd trwy'r holl bwyntiau yr oedd angen ateb iddynt. Nodir rhai o'r prif bwyntiau isod:

Perthynas y Cwmni a'r Cyngor
Prydles 21 mlynedd gydag opsiwn i brynu'r rhyddfraint yn ystod y cyfnod.
Ar ddiwedd y cyfnod rhoddir y rhyddfraint ar y farchnad agored.
Rhent cychwynnol £2700 i'w adolygu bob 3 blynedd.
Telir y rhent yn chwarterol, 3 mis ymlaen llaw.
Os na fydd tenant mewn uned gall y Cwmni wneud cais i'r Cyngor am ostyngiad yn y rhent.
(Os bydd TAW yna gellir codi TAW ar rent y tenantiaid)
Y Cwmni fydd yn gyfrifol am gynnal a chadw'r adeiladau.
Y Cwmni fydd yn gyfrifol am yswiriant yr adeiladau.
Y Cwmni fydd yn gyfrifol am gynnal yr offer ymladd tân a threfnu archwiliad blynyddol.
(Gellir trosglwyddo costau'r uchod yn rhent y tenantiaid)
Bydd angen i'r Cwmni gadw cronfa wrth gefn i gyfarfod â'r cyfrifoldebau uchod.
Trafod y Dreth yn flynyddol gyda'r Cyngor.

Perthynas y Cwmni a'r Tenantiaid
Llunio prydlesi cyffredin i'r ddau denant.
Bod yn gwbl glir ar y mân gynnal a chadw fydd angen.
Sefydlu trefn i'r ddau denant gysylltu â'r Cwmni.
Cytuno ar y ffin ddaearyddol rhwng y ddau denant ac ar eu cydberthynas.
Cytuno ar rent i'r ddau denant.
Rhent i'w adolygu bob 3 blynedd, i'w dalu 3 mis ymlaen llaw.

Trosglwyddo'r Dreth yn y rhent i'r ddau denant

Yswiriant

Tenant y Garej i fod yn gyfrifol am yswiriant y tanwydd a'r stoc a'r elfen 'Atebolrwydd Cyhoeddus'

Tenant y Gweithdy i fod yn gyfrifol am yswirio ei stoc a'r elfen 'Atebolrwydd Cyhoeddus'

Sicrhau bod y ddau denant yn derbyn ac yn gyfrifol am filiau trydan a biliau dŵr.

Hysbysebu a mabwysiadu'r drefn i ddewis tenant i'r Garej.

Gan i'r Awdurdod Datblygu ffurfio cytundeb 25 mlynedd gyda Cyngor Gwynedd gyda'r eiddo yn mynd ar werth ar ôl hynny roedd yn bwysig bod yr opsiwn i gael y cynnig cyntaf i brynu'r safle yn ystod y cyfnod hwn wedi ei gynnwys yng Nghytundeb y Cwmni. Cytunwyd hefyd y byddai'r Cwmni yn mynd i Gytundeb gyda Cyngor Gwynedd cyn i'r gwaith gychwyn a mynd i Brydles ar ôl cwblhau y gwaith.

Cyfrifoldeb Cyngor Gwynedd oedd sicrhau ymgymerwr priodol i gario allan y gwaith ar yr adeilad. Penderfynwyd ar un erbyn Hydref 2001 ond hysbyswyd y Cyngor ym mis Rhagfyr nad oedd yr ymgymerwr yn abl i gario allan y gwaith. Byddai angen ail drafod gyda'r Awdurdod Datblygu a byddai oedi pellach yn anorfod. Pan gynhaliwyd Cyfarfod Cyhoeddus o'r Cwmni yn Ionawr 2002 nid oedd y gwaith eto wedi dechrau a rhoddwyd addewid i'r aelodau y byddai'r Pwyllgor Gwaith yn hysbysu pob aelod pan fyddai'r gwaith yn dechrau. Yn y cyfarfod cytunwyd i'r Pwyllgor Gwaith hysbysebu am denant i'r Garej.

Yn Ebrill 2002 dechreuwyd ar y gwaith a braf oedd anfon y llythyr canlynol i'r aelodau:

Yn y Cyfarfod ar 10 Ionawr 2002 rhoddwyd addewid y byddai'r Pwyllgor Rheoli yn hysbysu'r aelodau o'r datblygiadau ar ôl i'r adeiladu ddechrau. Rydym yn falch o'ch hysbysu bod y gwaith wedi cychwyn ar y safle a bydd y cyfan wedi ei gwblhau erbyn canol Awst 2002. Bydd y Pwyllgor Rheoli yn hysbysebu am denant i'r garej/siop/caffi yn y wasg leol yn ystod yr wythnosau nesaf gan anelu at benodi tenant tua diwedd mis Mai. Os ydych yn gwybod am unrhyw un sydd â diddordeb dylai'r person hwnnw gysylltu â'r Ysgrifennydd cyn gynted ag sy'n bosibl i gael rhagor o fanylion.

Gan fod costau cychwyn y fenter yn syrthio ar y Pwyllgor Rheoli ar hyn o bryd buasem yn falch iawn o dderbyn cyfraniadau oddi wrth yr aelodau. Efallai eich bod yn cofio i ni drafod hyn yn Ionawr 2000 pryd y cytunwyd y byddai cais am fenthyciadau fel a ganlyn:

> 'Mae'r Pwyllgor Rheoli yn awr yn gofyn am fenthyciad di-log am 3 blynedd gyda lleiafswm y benthyciad yn £100, ac yn codi mewn unedau o £100. (Gyda chyfraddau llog yn isel y dyddiau hyn byddai benthyciad di-log o £100 yn gyfystyr â chyfraniad blynyddol o lai na £4 i'r fenter).
>
> Gan mai arian i sefydlu cronfa wrth gefn fydd y benthyciadau yn bennaf, mae'r Pwyllgor Rheoli yn ffyddiog y byddai'n ymarferol i ad-dalu'r benthyciad ymhen 3 blynedd neu dalu llog ar y benthyciadau sy'n aros yn y fenter wedi hynny.
>
> Mewn gair mae'r benthyciadau hyn yn arwydd o'r ymrwymiad lleol i lwyddiant y fenter'

Hysbysebwyd yr unedau yn y wasg leol a daeth un cais yn unig i law.

Cynhaliwyd cyfweliad anffurfiol cyn diwedd Mai ac roedd yn amlwg bod un ffactor yn poeni'r darpar denant yn arw, sef bodolaeth y gweithdy trin ceir ar y safle. Roedd yr ymgeisydd wedi mynegi pryder at ddelwedd flêr y gweithdy.

Rai misoedd ynghynt (Medi 2001) roedd y Pwyllgor Rheoli wedi trafod yr angen i ddiweddaru'r Cynllun Busnes gwreiddiol gan fod y ffordd osgoi i Glynnog yn edrych yn bur debygol o gael ei gwireddu. Bu peth anhawster i gario'r gwaith allan gan i'r Ymgynghorydd Busnes a benodwyd yn y lle cyntaf beidio â chysylltu â'r Pwyllgor Rheoli am bron i dri mis. Pan gysylltodd dywedodd nad oedd yn hwylus iddo gyflawni'r gwaith. Roedd y Pwyllgor Rheoli wedi bod yn awyddus iawn i drafod y Cynllun Busnes diwygiedig gyda darpar denant. Yn anffodus aeth yn fis Mai 2002 cyn y penodwyd Ymgynghorydd arall. Y tro hwn fodd bynnag cyflawnodd yr Ymgynghorydd ei waith ymhen y mis.

Unwaith eto roedd y Cynllun Busnes yn un addawol iawn ac yn canolbwyntio ar:

- y dair ganolfan elw yn yr uned – petrol, siop a chaffi
- y cwsmeriaid tebygol
- cymhwyster y tenant
- pwysigrwydd marchnata yr uned
- a phwysigrwydd delwedd yr uned

Cytunwyd ar y drafft terfynol o'r Cynllun Busnes ar 1 Gorffennaf 2002 a threfnwyd i gyfweld yr unig ymgeisydd ar 9 Gorffennaf. Ar 7 Gorffennaf tynnodd yr ymgeisydd ei gais yn ôl.

Penderfynwyd ail-hysbysebu yn syth. Daeth un ymgeisydd yn unig y tro hwn eto.

Wedi cyfweliad anffurfiol ar 14 Hydref mynegodd yr ymgeisydd ei fod â diddordeb yn y safle cyn belled a'i fod yn gyfrifol am y safle cyfan. Roedd yn awyddus i gynnwys y Gweithdy yn ei denantiaeth fel y gallai reoli'r safle cyfan. Roedd diddordeb ganddo hefyd i brynu'r safle maes o law.

Trefnwyd cyfweliad ffurfiol gyda'r Pwyllgor Rheoli ar 28 Tachwedd 2002. Ar ddiwedd y cyfweliad cynnigwyd y denantiaeth i'r ymgeisydd.

Ymhen rhai wythnosau penderfynnodd yr ymgeisydd dynnu ei gais yn ôl.

Yn ystod y cyfnod hwn roedd Cyngor Gwynedd wedi pwyso ar denant y Gweithdy i dacluso'r safle. Aeth y trafodaethau hyn ymlaen am rai wythnosau. Yn Ebrill 2003 hysbysodd y tenant nad oedd yn awyddus i ail-afael yn y denantiaeth.

Roedd hi'n awr yn agored i'r Pwyllgor Rheoli ail-hysbysu'r safle fel un denantiaeth. Gwnaed hyn ond ni chafwyd ymateb.

Yn ystod yr haf aed ati i glirio'r safle a daeth sawl un i gysylltiad anffurfiol ynghlŷn â'r denantiaeth.

Daeth un cais mwy addawol na'i gilydd ym mis Tachwedd 2003 a phenderfynwyd cyfarfod yr ymgeisydd hwnnw. Ar 15 Rhagfyr, 2003 cyfarfu'r Pwyllgor Rheoli ag Alan Rowlands o'r Sarn. Rhoddodd Alan fraslun o'i fwriadau i'r dyfodol. Roedd yn awyddus i wneud y siop yn llawer mwy na'r bwriad gwreiddiol drwy ddefnyddio gofod y gweithdy a'r caffi. Roedd yn fodlon ysgwyddo costau'r datblygiadau newydd hyn ei hun. Derbyniodd holl amodau'r Pwyllgor Rheoli – oriau agor, dwyieithrwydd, cyflogi lleol ayb. Rhoddwyd sêl bendith y Pwyllgor Rheoli ar ei gynllun. Penderfynwyd cynnig tenantiaeth y safle cyfan iddo ar gytundeb o 5 mlynedd, a derbyniodd.

Cynhaliwyd Cyfarfod Cyhoeddus o'r Cwmni ar 22 Ionawr, 2004 i'r aelodau gadarnhau penderfyniad y Pwyllgor Rheoli i gynnig y denantiaeth i Alan Rowlands, bron 5 mlynedd union i'r noson y cynhaliwyd y Cyfarfod Cyhoeddus cyntaf i drafod ail-agor y Garej.

Aeth Alan ati yn syth i gynllunio'r adeiladau i gyd-fynd â gofynion marchnata cwmni Londis. Buddsoddodd swm sylweddol yn ail wampio'r gofod tu mewn i'r adeilad.

Cynhaliwyd agoriad swyddogol ar 10 Gorffennaf 2004.

Cysur mawr i'r Cwmni oedd nodi bod y ddarpariaeth yn y Garej wedi troi allan yn llawer rhagorach na'r ddelfryd wreiddiol.

Mae Owain Williams yn cofio'r agoriad swyddogol yn dda:

> 'Wna'i ddim anghofio'r diwrnod hwnnw ar chwarae bach. Daeth tyrfa gref i'r seremoni a chefais y fraint o arwain y gweithgareddau. Uchafbwynt y seremoni oedd torri'r tâp a phwy oedd yn fwy haeddianol na'r wraig unigryw Mrs Annie Kate Jones o Frynaerau, yn 100 oed ac yn llawn bywyd a'i chof fel cloch? Yn anffodus mae hi bellach wedi ein gadael, heddwch i'w llwch.
>
> Mae'r busnes yn cael ei redeg gan Mr a Mrs Alan Rowlands sy'n denantiaid i Gwmni Cymunedol Clynnog. Yn ystod y flwyddyn gyntaf o fasnachu cyflogwyd cyn gymaint ac 14 o staff, y rhan fwyaf yn rhan amser a cafwyd cefnogaeth dda gan drigolion ardaloedd cyfagos yn ogystal â'r pentrefwyr. Bu i'r busnes elwa yn sylweddol o dwristiaeth gan fod gorsaf betrol bellach yn dipyn o loteri!
>
> Daeth bygythiad a her i'r busnes yn sgil agor ffordd newydd osgoi y pentref lai na phedair mlynedd yn ôl. Oherwydd nad yw'r busnes bellach ar ochr yr A499 mae wedi golygu fod y rhan fwyaf o'r drafnidiaeth cyffredin yn gwibio heibio ar 60 – 70 milltir yr awr, ac mae hyn wedi golygu cwymp sylweddol yn y trosiant. Ta waeth, ar ôl ymgyrchu caled, llwyddais i breswadio rhai o swyddogion ystyfnig yr adran gynllunio i ganiatau gosod arwydd goleuedig ar fin yr A499 – eithr nid yn y man delfrydol, ac mae hyn wedi ennill ychydig o'r busnes a gollwyd.

O edrych tua'r dyfodol, rwyf yn dra gobeithiol y bydd Garej Clynnog yn parhau i wasanaethu cwsmeriaid o bedwar ban byd yn ogystal â thrigolion ffyddlon Clynnog a'r cylch, a thrwy hyn, nid yn unig yn darparu gwasanaeth hanfodol ond creu cyflogaeth mewn ardal lle mae'r gwaith yn brin.'

Syniad Da

Y bobl, y busnes – a byw breuddwyd

Glywsoch chi'r chwedl honno nad yw Cymry
Cymraeg yn bobl busnes?
Dyma gyfres sy'n rhoi ochr arall y geiniog.

Straeon ein pobl fusnes:
yr ofnau a'r problemau wrth fentro;
hanes y twf a gwersi ysgol brofiad.

Llaeth y Llan:
sefydlu busnes cynhyrchu
iogwrt ar fuarth fferm
uwch Dyffryn Clwyd yn
ystod dirwasgiad yr 1980au

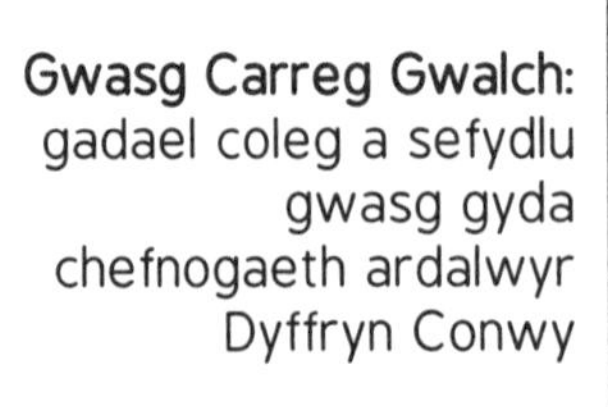

Gwasg Carreg Gwalch:
gadael coleg a sefydlu
gwasg gyda
chefnogaeth ardalwyr
Dyffryn Conwy

HANFODOL I BOBL IFANC AR GYRSIAU BUSNES
A BAGLORIAETH GYMREIG!
£5 yr un; www.carreg-gwalch.com

Y Llinyn Aur

Rhiannon Evans, Gof Aur Tregaron

"Nid bywyd yw Bioleg:
Mi af yn ôl i'r wlad"

Rhiannon:
troi crefft yn fusnes yng nghefn gwlad Ceredigion

Llongau Tir Sych

Thomas Herbert Jones
Caelloi Cymru 1851-2011

"Un o'r pethau gwaethaf wnaiff rhywun ydi ymddeol..."

Caelloi Cymru:
cwmni bysys moethus o Lŷn sy' n ddolen rhwng Cymru ac Ewrop

Perffaith Chwarae Teg

Cefin a Rhian Roberts
Ysgol Glanaethwy 1990–2011

"Ti 'di dechra rwbath rŵan, yn do?
Fedri di'm 'i gadael hi'n fan'na, wyddost ti ..."

Ysgol Glanaethwy:
datblygu dawn yn broffesiynol a llwyddo ar lwyfan byd

Teiers Cambrian:
cwmni o Aberystwyth sydd wedi tyfu i fod yn asiantaeth deiers mwyaf gwledydd Prydain

Moto Ni, Moto Coch
Canmlwyddiant y cwmni bysus cydweithredol ym mhentrefi Clynnog a Threfor

Siop Chips Lloyd Llanbed
hanes y diwydiant sglodion gan roi sylw arbennig i enillydd gwobrau yn y maes yn Llanbed

Artist Annibynnol:
Anthony Evans yn adrodd hanes ei yrfa fel arlunydd, yn cynnwys sefydlu oriel a stiwdio gydweithredol

Sylwadau ar fusnes a bywyd, gyrfa a gwaith gan **Gari Wyn y gwerthwr ceir llwyddiannus a sefydlodd Ceir Cymru**
Dadansoddi treiddgar; 200 tudalen; £7.50